Ernst Tugendhat

Probleme der Ethik

Philipp Reclam jun. Stuttgart

Universal-Bibliothek Nr. 8250
Alle Rechte vorbehalten
© 1984 Philipp Reclam jun. GmbH & Co., Stuttgart
Gesamtherstellung: Reclam, Ditzingen. Printed in Germany 2002
RECLAM und UNIVERSAL-BIBLIOTHEK sind eingetragene Marken
der Philipp Reclam jun. GmbH & Co., Stuttgart
ISBN 3-15-008250-1

www.reclam.de

Vorwort

Was heißt es, von einer Handlung zu sagen, sie sei *schlecht* (und zwar schlechthin, und nicht für den oder jenen Zweck)? Was meinen wir, wenn wir sagen, daß man so und so handeln *soll* oder *muß* bzw. *nicht darf* (und zwar einfachhin, und nicht mit Rücksicht auf eine bestimmte Absicht)? Und: Wie kann man Aussagen dieser Art begründen? Oder lassen sie sich überhaupt nicht begründen? Und welchen Sinn hat hier die Rede von einer Begründung? Das sind die Grundfragen der Ethik oder Moralphilosophie.

Diese für das Miteinanderleben von Menschen fundamentalen Fragen sind Grundfragen der Philosophie gewesen, seit es Philosophie gibt, mit ihnen ist in gewisser Weise die Philosophie entstanden. In den letzten dreißig Jahren hat man sich erneut besonders intensiv mit ihnen befaßt, in den letzten fünfzehn Jahren auch wieder in Deutschland. Gleichwohl ist es bisher nicht zu überzeugenden Antworten gekommen. Das liegt gewiß im Wesen der Sache, da es charakteristisch für philosophische Fragen ist, daß sie immer wieder neu gestellt werden müssen, keine definitiven Antworten finden. Ich glaube aber, daß vieles in der reichhaltigen moralphilosophischen Literatur unserer Zeit vergleichsweise so unbefriedigend geblieben ist, weil man (und ich schließe mich hier ein) bisher mit der falschen Voraussetzung an das Problem herangegangen ist, daß es eine – sei es skeptische, sei es positive – kurze und einfache Antwort auf diese Frage geben müsse. Inzwischen meine ich, daß diese Problematik nicht sachgerecht angegangen werden kann, solange man meint, sie handstreichartig lösen zu können. Es handelt sich um einen Gegenstand wirklicher Forschung, und zwar einer Forschung, in der sich spezifisch philosophische – analytisch-begriffliche – und empirische Methoden verbinden müssen.

Diese Auffassung widerstreitet einer in der Moralphiloso-

phie verbreiteten Auffassung, derzufolge die Frage nach der
»Geltung« moralischer Normen von empirischen Tatsachen
strikt zu trennen ist. Wer diese Unterscheidung von »Sein«
und »Sollen« nicht beachtet, wird eines »naturalistischen
Fehlschlusses« (*naturalistic fallacy*) bezichtigt: was wir *sollen*, das lasse sich, so meint man, durch keinerlei empirische
Feststellungen über das, was *ist*, begründen. Das klingt an
der Oberfläche sehr plausibel. Bei weiterem Nachdenken
ergeben sich aber Bedenken.

Erstens: Wenn sich das Gesollte nicht empirisch begründen
läßt, wie dann? Die Antwort kann nur lauten: apriorisch. So
hat es Kant gesehen. Aber dazu braucht man dann auch
einen Begriff von einem substantiellen und nicht nur analytischen Apriori; Kant hatte einen solchen, wir nicht. Ein
solcher Begriff impliziert, daß wir nicht nur Wesen dieser
irdischen Welt sind, sondern zugleich Glieder einer anderen,
vorgängigen, höheren Welt. Kants Begriff eines synthetischen Apriori ist ein, wie man heute erkennen muß, miß-
glückter Versuch der Säkularisierung von Transzendenz im
religiösen Sinn.

Ein zweites Bedenken ist noch grundsätzlicher: Diejenigen,
die es selbstverständlich finden, daß sich das Gesollte nicht
auf Seiendes reduzieren lasse, setzen voraus, daß wir ohne
weiteres verstehen, was mit »sollen«/»müssen« in diesem
absoluten (moralischen) Sinn gemeint ist. In Wirklichkeit
handelt es sich um einen bislang ungeklärten Begriff, und
unklar bleibt er allemal, wenn man ihm den Status einer
apriorischen »Geltung« gibt. Statt sich auf eine Evidenz zu
berufen, daß das Gesollte etwas »ganz anderes« sei als das
Seiende, kommt es vielmehr darauf an, zu klären, was wir
mit »Sollen« im moralischen Sinn dieses Wortes meinen.
Nachdem ich glaube, alle »einfachen« Möglichkeiten, diese
Verwendung von »Sollen« zu verstehen, durchprobiert zu
haben und bei allen gescheitert zu sein, bin ich jetzt zu einer
Auffassung gekommen, derzufolge die analytische Klärung
dieser Bedeutung nicht ohne Kooperation des Philosophen

mit dem empirischen Sozialisationsforscher zu erreichen ist (vgl. S. 138).

Die »Drei Vorlesungen über Probleme der Ethik« und die auf sie bezogenen »Retraktationen«, die ich hier veröffentliche, stellen meine beiden vorläufig letzten Schritte in einer Reihe mehrfacher, von mir immer wieder als mißglückt erkannter Versuche zum Verständnis moralischer Aussagen dar.

Einen ersten Versuch hatte ich in zwei Heidelberger Vorlesungen über Ethik in den Wintersemestern 1967/68 und 1973/74 gemacht. Im 7. Kapitel meiner *Vorlesungen zur Einführung in die sprachanalytische Philosophie* (1976) sind die Umrisse dieses ersten Ansatzes erkennbar. Ich hatte damals die Vorstellung, daß die Trivialantwort auf die Frage »Was soll ich tun?« – verstanden als eine Frage nach Rat, nach vernünftigem Handeln – zunächst lautet »was das für dich Beste ist« und dann »was *das* Beste ist« (und das hieß offenbar: »das für alle Beste«). So schien sich ein umfassender zweistufiger Begriff praktischer Begründung abzuzeichnen, wobei der Bezugspunkt der ersten Stufe das eigene Wohl war, der Bezugspunkt der zweiten Stufe die Begründbarkeit gegenüber jedermann.

In den Jahren 1977–79 arbeitete ich am Max-Planck-Institut zur Erforschung der Lebensbedingungen der wissenschaftlich-technischen Welt in Starnberg zusammen mit Klaus Eder, Günter Frankenberg und Ulrich Rödel an einem rechtssoziologischen Projekt über die Entwicklung von moralischen Begründungsverfahren in der Geschichte des modernen Rechts. Als ich mich in diesem Zusammenhang erneut mit der moralphilosophischen Begründungsproblematik beschäftigte, habe ich das Fehlerhafte meiner Vorstellung eines umfassenden praktischen Begründungsbegriffs und der Subsumption der Moral unter einen Vernunftbegriff erkannt (vgl. S. 71), aber so weit an meiner früheren Konzeption festgehalten, daß ich weiterhin meinte: Wenn wir eine Handlung und dann die entsprechende Norm moralisch begründen, ist das, was wir begründen, die Annahme, daß die Handlung bzw. die Norm gut (d. h. gut für alle) ist. In den langen Diskussionen mit Jürgen Habermas, zu denen ich zu jener Zeit Gelegenheit hatte, ergab sich eine Frontstellung meiner semantischen gegenüber seiner pragmatischen (kommunikativen) Begründungskonzeption. Mir schien der Sinn einer moralischen Aussage faßbar im Sinn des Wortes »gut«, und es schien mir nach wie vor der in diesem Wort enthaltene Begründungsanspruch, der den Begründungsanspruch eines moralischen Urteils bzw. einer moralischen Aussage ausmacht.

Die Kritik an Habermas (vgl. in der vorliegenden Ausgabe S. 109 ff.) sowie die eigene semantische Gegenposition habe ich zunächst skizzenhaft in einem Vortrag auf einer Tagung über »Argumentation und Recht« im September 1978 in München dargestellt, in dem ich unser rechtssoziologisches Projekt vorstellte, und dann ausführlicher im Herbst 1979 in einem Vortrag über »Sprache und Ethik«. Der Münchener Vortrag ist unter dem Titel »Zur Entwicklung von moralischen Begründungsstrukturen im modernen Recht« im *Archiv für Rechts- und Sozialphilosophie*, Beih. N. F. 14 (Wiesbaden 1980), S. 1–20, abgedruckt. Von dem Vortrag über »Sprache und Ethik« habe ich einen Teil im November 1979 an der Universität Zürich vorgetragen. Er wurde in französischer Übersetzung in *Critique* 37 (1981) S. 1038–74 veröffentlicht. Das deutsche Original habe ich nicht veröffentlicht, da mir inzwischen anläßlich meiner ersten Berliner Vorlesung im Sommersemester 1980, die erneut die Ethik zum Gegenstand hatte, die Unhaltbarkeit und Naivität dieser semantischen Konzeption deutlich geworden war. Sie scheitert einfach daran, daß man aus der bloßen Bedeutung eines Wortes, und d. h. aus einem bloß analytisch verstandenen Apriori nichts moralisch Substantielles herleiten kann.

Ich mußte also die Auffassung verwerfen, daß, was wir begründen, wenn wir eine Norm als moralische begründen, ihr Gutsein ist. Das führte dazu, die Frage, was es überhaupt heißt, eine Norm als moralische zu begründen, ganz anders zu verstehen. So kam es zu der neuen Konzeption, wie ich sie in der ersten und der dritten der »Drei Vorlesungen über Probleme der Ethik« dargestellt habe.

Die zweite dieser »Drei Vorlesungen« ist einer spezielleren Frage gewidmet, der Frage, ob es spezifisch moralische Lernprozesse gibt. Diese Frage hat sich mir im Zusammenhang des erwähnten Starnberger Projekts ergeben. Es kam mir darauf an, gegenüber der bei meinen Starnberger Kollegen weitgehend akzeptierten Piaget-Kohlbergschen Konzeption von moralischen Entwicklungsstufen, die sich auf eine Entwicklung aus der Perspektive des Beobachters bezieht, erst einmal die Möglichkeit einfacher Lernschritte ohne Stufentheorie in 1. Person herauszuarbeiten, bei der das Vergleichskriterium ausschließlich das bessere Begründetsein (aus der Perspektive des Subjekts selbst) ist. Wesentliche Anregungen zu der hier entwickelten Konzeption verdanke ich Gesprächen mit Ulrich Rödel. Die ursprüngliche Fassung dieser 2. Vorlesung war ein spanischer Vortrag, den ich im Herbst 1979 auf einer Tagung über Ethik in Madrid und dann auch in Lima und Anfang 1980 in deutscher Übersetzung unter dem Titel »Der Absolutheitsanspruch der Moral und die historische Erfahrung« an den Universitäten Hamburg und München gehalten habe.

Die »Drei Vorlesungen« habe ich in der vorliegenden Form im März 1981 im Rahmen des *Christian Gauss Seminars* in Princeton vorgetragen. Erst für die jetzige Publikation habe ich sie mit geringfügigen Veränderungen ins Deutsche übersetzt. Das englische Original ist nicht veröffentlicht, weil mir schon bald bezüglich wesentlicher Aspekte der in der ersten und der dritten Vorlesung entwickelten Konzeption erhebliche Zweifel gekommen waren. Aber erst angesichts der scharf durchargumentierten Einwände in Ursula Wolfs im Frühjahr 1983 an der Freien Universität Berlin eingereichten Habilitationsschrift *Über den Sinn moralischer Ver-*

pflichtung[1] konnte ich nicht mehr ausweichen und gewann die erforderliche Distanz, die eine erneute grundsätzliche Revision ermöglichte, wie ich sie jetzt in den »Retraktationen« durchgeführt habe. Nach all den Umbrüchen ist die Auffassung, die sich mir hier in Umrissen ergab, die erste, bei der ich nicht schon beim Schreiben das Gefühl hatte, daß sie eine *tour de force* ist, und so auch die erste, die sich zu veröffentlichen lohnt.

Die Veränderungen gegenüber den »Drei Vorlesungen« sind so einschneidend, so wesentliche Aspekte der »Drei Vorlesungen« halte ich jetzt für verfehlt, daß deren Publikation in der Form, in der ich sie gehalten habe, nur deswegen erforderlich ist, weil sich sowohl die Schrift von Ursula Wolf als auch die neueste moralphilosophische Abhandlung von Jürgen Habermas, »Diskursethik – Notizen zu einem Begründungsprogramm«[2] mit ihr auseinandersetzen. Ich hätte die »Drei Vorlesungen« nicht ohne die »Retraktationen« veröffentlicht. Andererseits sind die »Retraktationen« jetzt so geschrieben, daß sie nur partiell verständlich sind, wenn man die erste und dritte der »Drei Vorlesungen« nicht vorher gelesen hat. Ich habe versucht, aus der Not eine Tugend zu machen, und anstelle fertiger Gedanken den Prozeß meiner Denk- und Zweifelsbewegung darzustellen.

Die anderen beiden Beiträge in diesem Band sind schon veröffentlicht, aber bisher schwer zugänglich gewesen. Das Referat über Rawls habe ich auf einer Tagung über und mit Rawls vorgetragen, die im April 1976 unter der Leitung von Günther Patzig in der Werner-Reimers-Stiftung in Bad Homburg stattfand. Das englische Original ist in *Analyse und Kritik* 1 (1979) S. 77–89 erschienen. Von Rawls liegt im

---

1 Erscheint 1984 unter dem Titel *Das Problem des moralischen Sollens* bei de Gruyter, Berlin.
2 Jürgen Habermas, »Diskursethik – Notizen zu einem Begründungsprogramm«, in: J. H., *Moralbewußtsein und kommunikatives Handeln*, Frankfurt a. M. 1983, S. 53–125.

Manuskript eine Replik vor, die für die ursprünglich vorgesehene Publikation der Akten dieser Tagung gedacht war. Zu meiner Stellung zu Rawls vgl. auch meine Kurzbesprechung in der *Zeit* vom 4. März 1983 in der Reihe »100 Sachbücher«.

Den Vortrag »Antike und moderne Ethik« habe ich in Heidelberg in einem Kolloquium anläßlich des 80. Geburtstags von Hans-Georg Gadamer am 11. 2. 1980 gehalten. Er wurde 1981 veröffentlicht in *Die antike Philosophie in ihrer Bedeutung für die Gegenwart*, hrsg. von Reiner Wiehl, Heidelberg 1981 (Sitzungsberichte der Heidelberger Akademie der Wissenschaften), S. 55–73, und wird hier unverändert abgedruckt.

Die hier zusammengestellten Arbeiten zur Moralphilosophie verdanken wichtige Anregungen den Diskussionen und Gesprächen in dem 1970 gegründeten, 1982 aufgelösten Max-Planck-Institut zur Erforschung der Lebensbedingungen der wissenschaftlich-technischen Welt, dem ich von 1975 bis 1980 angehörte, wobei ich mich am stärksten Rainer Döbert, Jürgen Habermas, Gertrud Nunner-Winkler und Ulrich Rödel verpflichtet fühle. Ihnen und den anderen Freunden aus der Starnberger Zeit möchte ich dieses Bändchen widmen.

Berlin, im September 1983   *Ernst Tugendhat*

Bemerkungen zu einigen methodischen Aspekten von Rawls' *Eine Theorie der Gerechtigkeit*[1]

Wenn man Rawls' Theorie der Gerechtigkeit mit den zwei bedeutendsten traditionellen neuzeitlichen ethischen Theorien vergleicht, der utilitaristischen einerseits und der Kantischen andererseits, zeigt sich ein merkwürdiger Kontrast hinsichtlich Inhalt und Methode. Inhaltlich ist Rawls' Theorie gegen den Utilitarismus gerichtet, und in dieser Hinsicht steht Rawls – und so sieht er es auch selbst – der Kantischen Auffassung nahe. In seinen methodischen Überzeugungen hingegen stellt Rawls sich einer Konzeption, die auf »der Analyse moralischer Begriffe und dem Apriori« gründet, entgegen und meint, daß die Aufgabe einer Moraltheorie darin besteht, eine Theorie unserer »moralischen Gefühle« zu geben (d 70, e 51). Eine Moraltheorie soll an einer Klasse von *Tatsachen* überprüft werden, »unseren wohlerwogenen Urteilen im Überlegungs-Gleichgewicht« (d 70, e 51). Rawls behauptet, daß das »die Auffassung der klassischen Autoren mindestens bis Sidgwick« ist (d 70 abweichend, e 51). Die Tradition klassischer Autoren, an die Rawls sich hier anschließt, ist hauptsächlich die utilitaristische. Über seine Bezugnahme auf Aristoteles in einer Anmerkung zu dem gerade zitierten Satz ließe sich streiten. R. M. Hare, der, obwohl er nicht erwähnt wird, die eigentliche Zielscheibe dieser und ähnlicher Stellen sein dürfte, ist keineswegs der erste Philosoph, der seine ethische Theorie auf eine Analyse der Bedeutung von »gut« und andere Begriffsanalysen auf-

1 John Rawls, *A Theory of Justice*, Cambridge (Mass.) 1972; dt.: J. R., *Eine Theorie der Gerechtigkeit*, Frankfurt a. M. 1979. Das Referat wurde in englischer Sprache gehalten; die deutsche Übersetzung ist von Ursula Wolf besorgt und vom Autor durchgesehen worden. Die Rawls-Zitate sind, soweit möglich, der deutschen Ausgabe entnommen, auf die sich die mit »d« gekennzeichneten Seitenangaben beziehen. Um die Stellen auch im Original auffindbar zu machen, wurde jeweils die dort entsprechende Seitenzahl mit der Kennzeichnung »e« hinzugefügt.

baute; dasselbe gilt für Kant, und, wenn auch auf ganz
andere Weise, für Aristoteles.

Eine mögliche Erklärung dafür, daß Rawls methodisch seinem Hauptgegner – dem Utilitarismus – so nahe steht, ist,
daß Rawls selbst in erster Linie zur utilitaristischen Tradition gehört. Der Streit zwischen der Theorie der Gerechtigkeit und dem Utilitarismus scheint ein Streit zwischen Vet-
tern zu sein. Aber Rawls' Theorie steht der Kantischen nicht
nur inhaltlich nahe; um seine Theorie zu rechtfertigen,
gebraucht Rawls ein spezifisch formales Mittel, eine Vertragstheorie, und man kann sich fragen, ob das nicht ein
Fremdkörper innerhalb seiner anderen methodischen
Annahmen ist. Nun meint Rawls freilich, daß es gerade
dieses Mittel sei, das es ihm ermögliche, »Fragen der Bedeutung und Definition beiseite[zu]lassen und mit der Entwicklung einer inhaltlichen Theorie der Gerechtigkeit voran-
[zu]kommen« (d 628, e 579). Auch muß man zugeben, daß
er diesen vertragstheoretischen Zugang auf bewunderns-
werte Weise mit der methodischen Konzeption des Überlegungs-Gleichgewichts verbindet. Die wahren Grundsätze
der Gerechtigkeit sind Rawls zufolge diejenigen, die in
einem Zustand gewählt würden, der als der »Urzustand«
beschrieben wird, aber dem Urzustand diese Bedeutung zu
geben, sei selbst nur gerechtfertigt, wenn »die Grundsätze,
die gewählt würden, unseren wohlüberlegten Gerechtig-
keitsvorstellungen entsprechen oder sie auf annehmbare
Weise erweitern« (d 37, e 19).

Die genaue Bedeutung und der Rechtfertigungsstellenwert
des Urzustandes für Rawls' Folgerungen ist nun das, was
kritischen Lesern von *Eine Theorie der Gerechtigkeit* die
größten Schwierigkeiten verursacht hat. So erscheint die
Vermutung nicht zu kühn, daß die Vernachlässigung
begrifflicher Analysen, die sich für Rawls aus seiner Konzeption des Überlegungs-Gleichgewichts ergab, eine schäd-
liche Wirkung auf die Klarheit dessen hatte, was genau mit
dem Begriff des Urzustandes beabsichtigt oder erreicht wird.

Ich werde daher in zwei Schritten vorgehen. Zuerst werde ich Rawls' Konzeption von Moraltheorien und den Begriff des Überlegungs-Gleichgewichts einer kritischen Erörterung unterziehen. Im zweiten Teil werde ich dann die Auswirkungen behandeln, die Rawls' Zurückweisung von begrifflichen und analytischen Überlegungen auf seine Konzeption des Urzustandes als eines Rechtfertigungsmittels hatte.

I

Die Aufgabe der Moralphilosophie besteht für Rawls darin, Grundsätze zu finden, die unseren »wohlüberlegten moralischen Urteilen« entsprechen. Er fügt hinzu, daß diese Formulierung nur eine erste Annäherung darstellt, da es wahrscheinlich ist, daß eine Person einige ihrer wohlüberlegten moralischen Urteile im Lichte von Grundsätzen und besonders im Lichte von verschiedenen vorgeschlagenen Grundsätzen ändert. So findet eine gegenseitige Anpassung von wohlüberlegten Urteilen und Grundsätzen statt, und wenn dieser Prozeß zu einem vorläufigen Stillstand kommt, spricht Rawls von einem »Überlegungs-Gleichgewicht« (d 38, e 20; d 68, e 48).

Es ist keineswegs leicht, diese Konzeption zu verstehen. Rawls erklärt, daß man »die Theorie der Moral ganz wie irgendeine andere Theorie« betrachten muß (d 627, e 578). Das scheint vorauszusetzen, daß alle Theorien grundsätzlich ähnlich sind. Rawls erwähnt die Linguistik (d 66 f, e 47), Physik (fehlt in d, e 49), Mathematik (d 71, e 51) und die philosophische Theorie der Rechtfertigung deduktiven und induktiven Schließens (d 38, e 20). Nun ist das Verhältnis zwischen Grundsätzen und Tatsachen in jedem dieser Fälle auf signifikante Weise von jedem anderen verschieden. Eine linguistische Theorie hat einen Gegenstand – den kompetenten Sprecher –, der selbst von Grundsätzen oder Regeln geleitet ist, während im Fall einer Wissenschaft wie der Physik die Daten als solche nichts mit den Grundsätzen zu tun haben; die Grundsätze (Gesetze) sind nur in der Theorie. Was Rawls für die Moraltheorie im Sinn zu haben scheint, ist in dieser Hinsicht der Linguistik zumindest näher als der Physik. Aber selbst im Fall der Linguistik wäre es nicht sehr sinnvoll, von einem Überlegungs-Gleichgewicht im vorhin erklärten Sinn zu sprechen. Rawls gibt zu, daß »wir wohl kaum eine wesentliche Revision unseres Gefühls für korrekte Grammatik angesichts einer linguistischen Theorie erwarten dürften« (d fehlt, e 49). Aber dieser Unterschied zwischen linguistischer Theorie und Moraltheorie scheint nicht so zufällig zu sein, wie Rawls ihn hinstellt. Dieser Unterschied muß etwas mit der Tatsache zu tun haben, daß die Moraltheorie, wie Rawls sie beschreibt, in der 1. und 2. Person durchgeführt wird. Rawls nennt das »den sokratischen Aspekt« der Moraltheorie (e 49, d fehlt; d 628, e 578). Es ist offensichtlich, daß die Daten nur dann, wenn sie zur selben Person gehören, die die Theorie betreibt, sich im Lichte von Grundsätzen, welche die Theorie aufstellt, ändern können.

Natürlich kann man eine Theorie der moralischen Gefühle durchführen, die der von Rawls beschriebenen sehr ähnlich ist, nur mit dem Unterschied, daß sie eine Theorie in der 3. Person wäre. In diesem Fall würde der sich ergebenden Theorie einfach der Aspekt des Überlegungs-Gleichgewichts fehlen, die Daten würden sich angesichts der Grundsätze nicht ändern, und wir hätten eine schlichte empirische Theorie. Jede psychologische oder anthropologische Theorie des Gerechtigkeitssinns einer Gruppe oder Gesellschaft wäre von dieser Art. Der von Rawls angestellte Vergleich mit der linguistischen Theorie schiene demnach auf diese Art Moraltheorie zu passen, die nicht die von Rawls verfolgte ist.

Wenn das richtig ist, sollten wir nun in der Lage sein, Rawls' Konzeption von Moraltheorien weiter zu erhellen, indem wir fragen, warum im Falle einer Moraltheorie die Theorie in der 1. und 2. Person in ihrer Struktur auf signifikante

Weise von der Theorie in der 3. Person verschieden sein kann, während das im Falle der Linguistik nicht so ist. Warum gibt es nicht auch eine »sokratische« Linguistik? Und warum haben wir kein besonderes Motiv, Linguistik in der 1. Person zu betreiben, aber können ein besonderes Motiv für eine Moraltheorie in der 1. Person haben? Eine erste Antwort scheint klar: Unsere linguistische Kompetenz wird durch Überlegung über ihre Grundsätze nicht verbessert, während unser Gerechtigkeitssinn durch eine solche Überlegung verbessert werden kann. Das erklärt einen Aspekt von Rawls' Konzeption von Moraltheorien, den ich noch nicht erwähnt habe. Er sagt: »Eine Gerechtigkeitsvorstellung [...] ergibt sich [...] daraus, daß sich alles zu einer einheitlichen [e: *coherent*] Theorie zusammenfügt.« (d 39, e 21) Diese Kohärenztheorie moralischer Rechtfertigung ist offensichtlich eine Folge der Konzeption des Überlegungs-Gleichgewichts. Wir würden z. B. in der Linguistik nicht von einer Kohärenztheorie sprechen und auch in keiner anderen empirischen Theorie, weil in jeder solchen Theorie die Grundsätze mit den Daten übereinstimmen müssen und es nicht um eine wechselseitige Anpassung geht.

All das bleibt jedoch noch zu sehr an der Oberfläche. Es scheint zwar richtig zu sein, daß die Tatsache, daß wir in der Ethik, aber nicht in der Linguistik eine auf signifikante Weise verschiedene Theorie in der 1. Person haben können, mit der Tatsache zusammenhängt, daß Überlegung unseren moralischen Sinn verbessern kann, aber nicht unsere linguistische Kompetenz, und es scheint ebenfalls richtig zu sein, daß diese Verbesserung etwas mit zunehmender Kohärenz zu tun hat, aber es bleibt die Frage, was der Grund für diese Zusammenhänge ist.

Weiter als bis hierher jedoch konnte ich mittels einer bloßen Erläuterung von Rawls' Auffassung nicht kommen. Obwohl ich einige Unterscheidungen einführen mußte, die Rawls selbst nicht macht, und obwohl mir diese Unterscheidungen zu zeigen scheinen, daß Rawls' Behauptung, daß man die

Moraltheorie einfach wie jede andere Theorie betrachten kann, nicht einmal für Rawls' eigene Auffassung von Moraltheorie zutrifft, sollte das alles doch nur den Sinn haben, Rawls' eigene Auffassung besser zu verstehen, und ich möchte hoffen, daß er so weit mit mir übereinstimmen könnte. Aber wenn er das tun sollte, scheint es schwierig, einen weiteren Schritt zu vermeiden, der nicht mehr als eine bloße Klärung von Rawls' Auffassung verstanden werden kann, sondern zeigen würde, daß diese Auffassung, wenn sie zureichend geklärt wird, zu einer anderen Konzeption führt.

Ich kehre also noch einmal zu dem Unterschied zwischen einer Moraltheorie und einer linguistischen Theorie zurück. Der deutlichste Unterschied zwischen den Gegenständen der zwei Theorien wurde noch nicht erwähnt. Dieser Unterschied ist impliziert in Rawls' Gebrauch des Ausdrucks »wohlüberlegte *Urteile*«. Was Rawls die »Tatsachen« nennt, mit denen sich die Moraltheorie zu befassen hat, sind eine bestimmte Art von Meinungen, Meinungen darüber, was richtig oder gerecht ist. Der diskursive Charakter dieser Tatsachen wird verdeckt, wenn man von moralischen *Gefühlen* spricht. Nun haben Meinungen oder, um Rawls' Ausdruck zu gebrauchen, Urteile die Eigentümlichkeit, daß sie mit einem Wahrheitsanspruch verbunden sind oder, wenn man das vorzieht, mit einem Gültigkeitsanspruch. Der linguistische Standardausdruck einer Meinung oder eines Urteils ist, was man einen assertorischen Satz nennt, und es ist das definierende Merkmal solcher Sätze, daß sie wahr oder falsch sein können. Es ist natürlich kontrovers, ob Werturteile oder normative Urteile ›in Wahrheit‹ wahr oder falsch sein können. Aber es kann nicht kontrovers sein, daß sie sozusagen ›phänomenologisch‹ diesen Charakter haben. Halten wir uns an das Wort, das von Rawls hauptsächlich verwendet wird, das Wort »gerecht«, so ist offensichtlich, daß Sätze, die ein Urteil oder eine Meinung ausdrücken, daß das und das gerecht oder ungerecht ist, alle charakteristischen Merkmale der assertorischen Rede haben. Wir gebrauchen, wenn wir Meinungen darüber, was gerecht oder ungerecht ist, ausdrücken, Adverbien wie »wirklich«, »in Wahrheit«, »anscheinend«, »scheinbar«; wir sagen Dinge wie »ich pflegte zu glauben, daß das gerecht war, dann zweifelte ich, ob es wirklich gerecht war, und jetzt weiß ich, daß es nicht gerecht ist« usw.

Dieser Umstand nun, daß das, was Rawls unseren Gerechtigkeitssinn nennt, in einem System von Meinungen besteht, enthält, denke ich, die Erklärung dafür, warum es einen signifikanten Unterschied zwischen einer Moraltheorie in der 1. und 2. Person und einer Moraltheorie in der 3. Person gibt, aber dieser Unterschied erweist sich jetzt als viel tiefer, als es auf der Basis von Rawls' eigener Erklärung scheinen konnte. Das, was Rawls die Tatsachen für die Theorie nennt, sind in diesem Fall Tatsachen, die ihrerseits mit einem Wahrheitsanspruch verbunden sind. Für die Personen, deren Urteile sie sind, sind sie nicht einfach Tatsachen, an denen eine Theorie überprüft werden kann, sondern für sie sind sie, als Meinungen, selbst Gegebenheiten, die überprüft werden können. Natürlich ist ein Aspekt jedes Systems von Meinungen, daß es kohärent sein muß; wenn es widersprüchlich ist, kann es nicht vertreten werden. Aber das allein kann die Wichtigkeit, welche die Überlegung über Grundsätze offensichtlich für eine Moraltheorie in der 1. Person hat, nicht erklären. Man muß zwischen verschiedenen Arten von Systemen von Meinungen unterscheiden. Meinungen über Tatsachen werden charakteristischerweise, direkt oder indirekt, durch Beobachtung gerechtfertigt. Moralische Urteile andererseits können, wenn sie überhaupt gerechtfertigt werden können – und sie geben zumindest vor, einer Rechtfertigung fähig zu sein –, nur durch Grundsätze gerechtfertigt werden. Der Grund dafür, warum Grundsätze in der Moral vom Standpunkt der Personen selbst, welche die Moralurteile fällen, so wichtig werden, liegt also darin, daß sie offensichtlich eine zentrale Rolle im

Rechtfertigungsprozeß spielen. So scheint es, daß Rawls, wenn er an eine Moraltheorie in der 1. Person denkt, das Pferd beim Schwanz aufgezäumt hat. Nicht die Grundsätze sind an den einzelnen moralischen Urteilen zu prüfen, sondern umgekehrt. Um nicht mißverstanden zu werden, füge ich sofort hinzu, daß natürlich auch jetzt noch die Möglichkeit einer Moraltheorie in der 3. Person offen ist, und diese ist, wie jede andere empirische Theorie, eine Theorie, in der es die hypothetischen Grundsätze sind, die an den moralischen Urteilen derjenigen Personen, deren Gerechtigkeitssinn untersucht wird, zu prüfen sind. Aber eine solche Theorie ist natürlich nicht eine Theorie darüber, was gerecht ist, sondern darüber, was die Personen, die untersucht werden, für gerecht halten.

Vielleicht war ich zu dogmatisch, als ich sagte, daß moralische Urteile nur durch Grundsätze gerechtfertigt werden können. Was ich behaupte, ist nur, daß wir uns, wenn wir überhaupt an einer Moraltheorie in der 1. Person interessiert sind, darüber im klaren sein müssen, daß unsere moralischen Urteile Gegebenheiten sind, die ihrem eigenen Sinn nach keine Appellationsinstanz darstellen, sondern einer Appellationsinstanz bedürfen. Die Hauptfrage für jeden, der über seine moralischen Urteile zu reflektieren beginnt, ist die Frage, wie diese Art von Urteilen gerechtfertigt werden kann. Rawls ist durch seine ungerechtfertigte Angleichung der Moraltheorie in der 1. Person an die in der 3. Person dahin gekommen, sich gegen diese Frage blind zu machen. Dann aber sind seine Angriffe auf Bedeutungsanalysen ohne Gewicht. Wenn das Rechtfertigungsproblem nicht existiert, brauchen wir in der Tat kein Mittel, uns damit auseinanderzusetzen. Wenn es aber existiert, stellt sich die Frage, wie die Klärung der Methode der Rechtfertigung für eine Satzart ohne eine Analyse der Bedeutung dieser Sätze in Angriff genommen werden soll.

Es gibt noch einen erhellenden Hinweis, den Rawls im Zusammenhang mit seinem Begriff des Überlegungs-Gleich-

gewichts macht, den ich noch nicht erwähnt habe. Es ist der
Hinweis auf Nelson Goodmans scheinbar ähnliche Theorie
über deduktives und induktives Schließen (d 38 Anm., e 20
Anm.). [2]Goodman zufolge werden »die Regeln des deduktiven Schließens gerechtfertigt durch ihre Übereinstimmung
mit der anerkannten Praxis« und »sowohl die Regeln als
auch die einzelnen Schlüsse werden gerechtfertigt, indem sie
miteinander in Übereinstimmung gebracht werden« (d 86 f.;
e 63 f.). Das klingt in der Tat ähnlich wie Rawls' Konzeption
des Überlegungs-Gleichgewichts. Nun ist Goodmans Auffassung selbst nicht unkontrovers, aber jedenfalls besteht ein
bemerkenswerter Unterschied zwischen seiner Auffassung
und der von Rawls. Die »Tatsachen«, um Rawls' Ausdruck
zu gebrauchen, bestehen in Goodmans Fall nicht in Urteilen, sondern in Verfahren zur Rechtfertigung von Urteilen.
Die Übertragung von Goodmans Auffassung auf den Fall
der Moraltheorie würde somit zu einem anderen Programm
führen als dem von Rawls vertretenen. Das Programm
würde jetzt nicht auf die Rechtfertigung moralischer Grundsätze zielen, sondern auf die Rechtfertigung der Rechtferti-
gungsmethoden. Es würde in der Analyse der Regeln für
gültiges moralisches Argumentieren bestehen. Ich kann es
offenlassen, ob das Beste, was wir in dieser Angelegenheit
tun können, in Analogie zu Goodmans Ausführungen ist,
die Grundsätze gültigen moralischen Argumentierens
dadurch zu rechtfertigen, daß wir sie an den akzeptierten
Verfahren moralischen Argumentierens überprüfen; jedenfalls wären wir im Falle des moralischen Argumentierens viel
weniger sicher, was wir zu den »akzeptierten Verfahren«
rechnen sollen, als im Falle des deduktiven und induktiven
Schließens. Die Alternative zu einer solchen Konzeption
wäre eine Konzeption wie die von Hare: daß die Regeln
gültigen moralischen Argumentierens aus der logischen

---

2 Nelson Goodman, *Fact, Fiction and Forecast*, Indianapolis, N. Y., 1965 [zit.
als: e]; dt.: N. G., *Tatsache, Fiktion, Voraussage*, Frankfurt a. M. 1975 [zit.
als: d].

Struktur dieser Sätze folgen. Im gegenwärtigen Kontext kann ich diesen Punkt offenlassen, weil ich nicht deswegen mit Rawls streite, weil ich mit einer Antwort, die er gibt, nicht übereinstimme, sondern weil er nicht einmal die Frage stellt und eine Kohärenztheorie an ihre Stelle setzt. Man kann natürlich bezweifeln, daß moralische Urteile überhaupt gerechtfertigt werden können; es ist möglich, die These zu vertreten, daß ihr Wahrheitsanspruch ihnen nur den Anschein gibt, einer Rechtfertigung fähig zu sein, und daß es keine Entscheidungsverfahren gibt, diesen Anspruch abzustützen. Aber diese Behauptung könnte wiederum nur auf eine Analyse der logischen Struktur dieser Sätze gegründet werden. Rawls nimmt weder einen positiven noch einen negativen Standpunkt gegenüber dieser Frage ein, sondern schiebt sie einfach beiseite.

Ehe ich diesen Teil meines Vortrags abschließe, möchte ich einen Schritt zur Versöhnung machen. Es wäre ein Mißverständnis zu denken, das Ergebnis meiner Ausführungen wäre, daß der Begriff des Überlegungs-Gleichgewichts aufgegeben werden muß. Er müßte nur anders interpretiert werden. Die wohlerwogenen moralischen Urteile sind in der Tat der Ausgangspunkt für jede moralische Überlegung, aber ihr Wert ist heuristisch, nicht der einer Appellationsinstanz.

So setzte z. B. auch Kant im 1. Abschnitt der *Grundlegung zur Metaphysik der Sitten* ein mit einer Analyse unserer »wohlüberlegten moralischen Urteile«; das Resultat dieser Analyse überprüfte er aber dann im 2. Abschnitt durch eine Analyse des Begriffs einer unbedingt guten Handlung. Die Überprüfung ging also in der umgekehrten Richtung wie der von Rawls vertretenen vor sich. Der 2. Abschnitt war für Kant der entscheidende, und für uns, die wir nicht mehr alle »wohlüberlegten moralischen Urteile« der Zeit Kants teilen, ist es dieser Teil seiner Moraltheorie, der wertvoll geblieben ist. Was Kant im 2. Abschnitt der *Grundlegung* durchführt, kann auch zeigen, wie gegenstandslos Rawls' Behauptung ist, daß Bedeutungs- und Definitionsfragen zur Entscheidung inhaltlicher moralischer Probleme nutzlos sind. Das ist ein Argument *ad hominem*, da Rawls in § 40 Kants inhaltliche Folgerungen annimmt, ohne sich um ihre formale Ableitung bei Kant zu kümmern.

II

Man könnte meinen, daß Rawls mit seiner Vertragstheorie in der Durchführung das liefert, was er in der Theorie zu leugnen scheint: eine Rechtfertigungsmethode. Aber hierin liegt natürlich keine Inkonsistenz, weil Rawls seine Vertragstheorie leicht seiner Lehre vom Überlegungs-Gleichgewicht einverleiben kann. Er behauptet ja, daß dieses Rechtfertigungsverfahren seinerseits nur gerechtfertigt werden kann, indem man zeigt, daß sein Ergebnis mit unseren wohlüberlegten moralischen Urteilen übereinstimmt. Rawls' Vertragstheorie ist also bis zu einem gewissen Grad neutral hinsichtlich der Frage, die ich im ersten Teil meines Vortrags behandelte. Ein Philosoph, der nicht mit Rawls' Behauptung übereinstimmt, daß Regeln für moralisches Argumentieren gerechtfertigt sind, wenn sie zu unseren wohlüberlegten moralischen Urteilen führen, könnte immer noch Rawls' Vertragstheorie als einer geeigneten Basis für moralisches Argumentieren zustimmen, die er dann unabhängig zu rechtfertigen hätte.

Rawls kommt sogar einem solchen Philosophen auf halbem Wege entgegen. Er sagt, »daß weithin Übereinstimmung darüber herrscht, daß Gerechtigkeitsgrundsätze unter bestimmten Bedingungen festgelegt werden sollten« (d 35, e 18), und er rechtfertigt seine Konzeption des Urzustandes, indem er zu zeigen versucht, nicht nur daß die in diesem Zustand gewählten Grundsätze in ihren Konsequenzen mit unseren wohlüberlegten moralischen Urteilen übereinstimmen, sondern daß dieser Zustand auch diejenigen Bedingungen erfüllt, die allgemein als charakteristisch für den »mora-

lischen Standpunkt« betrachtet werden (d 142 abweichend,
e 120). Rawls scheint diesen Grundsätzen, die charakteristisch für den moralischen Standpunkt sind, einen ähnlichen
Status zu geben wie unseren wohlüberlegten moralischen
Urteilen. Obwohl er, soweit ich sehen kann, wenig
Bestimmtes über diesen Punkt sagt, nehme ich an, daß er
sagen würde, daß wir nicht nur wohlüberlegte moralische
Urteile über einzelne moralische Fragen, sondern auch
wohlüberlegte Urteile über die Bedingungen moralischen
Argumentierens haben und eine richtige Theorie ein Überlegungs-Gleichgewicht für beide Seiten erreichen sollte.
Diese Bedingungen moralischen Argumentierens nun haben
offensichtlich einen abstrakten und – trotz Rawls – begrifflichen Charakter; sie gehören in diejenige Linie einer Klärung, die ein Philosoph verfolgen würde, der untersuchen
wollte, ob Rawls' Beschreibung des »Ausgangszustands« als
die geeignete Position für gültiges moralisches Argumentieren dienen kann. Natürlich würde ein solcher Philosoph die
Linie auch weiter zurückverfolgen wollen, als Rawls es tut,
vielleicht bis zu einem Punkt, wo die Sache durch eine
begriffliche oder logische Analyse entschieden werden
könnte. Aber ich werde nicht versuchen, das zu tun. Ich
möchte diese Überlegungen über die Bedingungen moralischen Argumentierens nicht weiter zurückverfolgen als
Rawls selbst, oder zumindest nicht viel weiter zurück, weil
ich keine Kritik von außen beabsichtige.
Was ich in diesem Teil meines Vortrags diskutieren möchte,
ist die Frage, ob die tendenzielle Abneigung gegen einen
analytischen und begrifflichen Ansatz, die sich aus Rawls'
methodischer Konzeption ergab, sich nicht schädigend auf
die Art und Weise ausgewirkt hat, in der Rawls die Vertragsposition einführt. Ich möchte nicht sagen, daß diese Auswirkungen oder sogar die negative Haltung gegenüber begrifflichen Fragen eine *notwendige* Folge von Rawls' methodischer Konzeption ist. Aus der Tatsache, daß ein apriorisches
Argument über die Gültigkeit moralischen Argumentierens

begrifflich sein müßte, folgt nicht, daß man, wenn man ein solches apriorisches Argument nicht versucht, keine begrifflichen Analysen braucht. Und für eine so formale Konzeption wie Rawls' Vertragsposition hätte man erwartet, daß eine begriffliche Zugangsweise in jedem Fall wichtig gewesen wäre. Nun möchte ich auch nicht übertreiben und will z. B. nicht unterstellen, daß Rawls begrifflich unklar sei. Was ich behaupten möchte, ist, daß seine Einführung des Urzustandes nicht genügend analytisch ist, um angemessen eingeschätzt zu werden.

Der Urzustand hat einen stark synthetischen Charakter, da er ein relativ vielseitiges Schema ist, und Rawls hat nicht Schritt für Schritt erklärt, welche seiner Aspekte aus denjenigen Bedingungen folgen, von denen er annimmt, daß sie allgemein als charakteristisch für moralisches Argumentieren gelten, und welche Aspekte er aus anderen Gründen eingeführt hat; und er hat sehr wenig getan, um die Überlegenheit seiner Konzeption im Vergleich zu anderen Konzeptionen zu zeigen, die diese Bedingungen moralischen Argumentierens ebenfalls erfüllen würden. Es schien Rawls offensichtlich ausreichend aufzuzeigen, daß a) viele Aspekte des Urzustandes in der Tat mit diesen Bedingungen übereinstimmen und daß b) die im Urzustand gewählten Grundsätze mit unseren wohlüberlegten moralischen Urteilen übereinstimmen. Diese Sachlage muß natürlich denjenigen unter uns besonders unbefriedigend erscheinen, die Rawls' Vorschlag gern als einen Vorschlag für die wahre Bedingung moralischen Argumentierens ansehen würden, aber ich werde zeigen, daß sie auch von Rawls' eigenem Standpunkt aus zweifelhafte Auswirkungen hat, nämlich hinsichtlich der Übereinstimmung mit unseren wohlüberlegten moralischen Urteilen.

Eine fundamentale Annahme bei Rawls, die ich nicht in Zweifel ziehen möchte, ist, daß die Grundsätze der Gerechtigkeit und die moralischen Grundsätze im allgemeinen nicht etwas sind, was uns gegeben ist, etwa in einer Art

Intuition, sondern etwas, zu dem wir aktiv gelangen, in einem Wahlakt unter bestimmten Bedingungen. Diese Bedingungen für eine moralische Wahl sind für Rawls umschrieben durch das, was er den »Ausgangszustand« nennt, und durch dessen weitere Spezifikation durch die »philosophisch bevorzugte Deutung«, die dann als »Urzustand« bezeichnet wird (d 143, e 121; d 170, e146). Strenggenommen werden nur die Grundsätze für die Grundstruktur der Gesellschaft unter den Bedingungen des Urzustandes gewählt. Rawls faßt eine »Vier-Stufen-Folge« zunehmender Konkretheit der zu entscheidenden Probleme ins Auge (§ 31).

Was durch die Art, wie Rawls den Urzustand einführt, verdeckt wird, ist nun, daß diese Einführung selbst einen Wahlakt darstellt. Der Urzustand muß als die im Vergleich mit anderen Möglichkeiten, wie z. B. der Theorie des unparteiischen Beobachters (vgl. d 212 ff., e 184 ff.), *beste* Ausgangsposition für die Entscheidung über moralische Grundsätze *angenommen* werden. Wenn Rawls Gründe angibt, warum wir den Urzustand als den für die Wahl von Gerechtigkeitsgrundsätzen geeignetsten Zustand annehmen sollen, operiert er daher auf einer Stufe, die der ersten seiner vier Stufen vorausliegt. Diese Null-Stufe moralischer Wahl ist natürlich nicht durch einen Schleier der Unwissenheit charakterisiert, weil der Schleier der Unwissenheit unter anderem zu den Dingen gehört, die auf dieser Stufe erst gewählt werden. Es ist auch nicht eine hypothetische Situation, weil die hypothetische Bedingung der Ausgangssituation wiederum etwas ist, was auf der Null-Stufe ein Gegenstand und nicht eine Bedingung der Wahl ist. Schließlich ist die Art von Wahl, die auf der Null-Stufe erforderlich ist, nicht eine »vernünftige Entscheidung« im »engen Sinn [...] wie es in der Wirtschaftstheorie üblich ist«, welche charakteristisch für die in der Ausgangssituation zu treffende Wahl ist (d 31, e 14). Da die Überlegung, die auf der Null-Stufe notwendig ist, als die Grundlage der Moraltheorie betrachtet werden muß, trifft Rawls' Behauptung, daß man sich die »Moralphilosophie« als »Teil der Theorie der vernünftigen Entscheidung« (d 196, e 172) zu denken hat, zumindest nicht auf diesen grundlegenden ersten Schritt zu.

Nun muß die Wahl, die auf der Null-Stufe erforderlich ist, ebenfalls unter bestimmten Bedingungen stehen. Aber diese können nicht durch bestimmte subjektive Bedingungen bestimmt werden (wie Unwissenheit, Rationalität usw.), sondern nur durch die Art der Sache, die gewählt werden soll. Die zu wählende Sache scheint zu sein: ein angemessener Repräsentant für den moralischen Standpunkt. Die Bedingungen für die Wahl auf der Null-Stufe sind daher die definierenden Merkmale des moralischen Standpunkts. Diese nun können auf eine von zwei Weisen bestimmt werden. Sie können aus einer logischen Analyse dessen abgeleitet werden, was es bedeuten kann, moralische Sätze zu rechtfertigen, und diese Richtung werde ich, wie gesagt, nicht verfolgen, weil sie der von Rawls eingeschlagenen entgegengesetzt ist. Oder man greift einfach, wie Rawls es tut, diejenigen Bedingungen auf, die allgemein als Charakteristika für den moralischen Standpunkt akzeptiert zu sein scheinen.

Da nun Rawls das, was ich die Null-Stufe nenne, nicht explizit dargestellt hat, hat er nicht, wie man hätte erwarten können, mit einer vollständigen Aufzählung dieser Bedingungen begonnen. Daher hat er es unklar gelassen, welche Aspekte des Urzustandes aus diesen Bedingungen folgen und welche seiner Aspekte er aus anderen Gründen gewählt hat. Diese Unklarheit kann nur dadurch beseitigt werden, daß man die relevanten Dinge zusammenstellt, die Rawls an verschiedenen Stellen sagt. Am nächsten kommt Rawls einer Aufzählung solcher Bedingungen in der Aufzählung der »formalen Bedingungen für den Begriff des Rechten« in § 23. Die wichtigsten dieser formalen Bedingungen sind »Allgemeinheit« (e: *generality*) und »unbeschränkte Anwendbarkeit« (e: *universality*). Wie Rawls diese Grundsätze versteht, scheinen sie noch nicht Unparteilichkeit zu implizieren. Aber dieser Begriff wird von Rawls an verschiedenen Stellen als fundamental für den moralischen Standpunkt hervorgehoben (vgl. im Zusammenhang mit der Einführung des Urzustandes: d 19, e 12; d 35, e 18). Ich bin weniger sicher, wieviel Gewicht er der Bedingung der »Autonomie« beimißt (die Grundsätze sollen »selbstauferlegt« sein, d 30, e 13). Es ist einer der Vorzüge des Urzustandes, daß er diese Bedingung erfüllt, und diese Bedingung scheint von der Theorie des unparteiischen Beobachters nicht erfüllt zu werden, gleichwohl kritisiert Rawls diese Theorie, wo er sie diskutiert, nicht nach dieser Hinsicht (§ 30). Wenn wir die Bedingung der Autonomie nicht einschließen, könnte man den moralischen Standpunkt zusammenfassend als den Standpunkt charakterisieren, auf dem solche Handlungsgrundsätze gewählt werden, die im Interesse aller sind. Die Bedingung der Autonomie wäre mit einbezogen, wenn wir das so umformulieren, daß wir den moralischen Standpunkt als die Wahlbedingung charakterisieren, derzufolge nur solche Handlungsgrundsätze gewählt werden, denen jeder zustimmen könnte.

Diese Charakterisierungen sind äußerst grob und bedürften weiterer Ausarbeitung. Worauf es ankommt, ist, daß eine bloße Aufzählung verschiedener Bedingungen zur Charakterisierung der Null-Stufe nicht ausreicht; wir müssen den moralischen Standpunkt durch eine derartige zusammenfassende Charakterisierung definieren. Im Gegensatz zu den verschiedenen hypothetischen Modellen, wie dem Vertragsmodell oder dem Modell vom idealen Beobachter, stellt der moralische Standpunkt nicht eine hypothetische Wahlsituation dar, sondern die Situation der moralischen Wahl innerhalb unseres wirklichen Lebens. (Es trifft zu, daß sogar diese Wahl hypothetische Elemente enthält, wenn ich z. B. sagte, daß solche Grundsätze gewählt werden, denen jeder zustimmen *könnte*, aber die Wahl selbst ist nicht hypothetisch). Es sollte nicht kontrovers sein, daß die Moralphilosophie nicht

mit einer hypothetischen Situation *beginnen* kann, sondern
nur mit dem moralischen Standpunkt als einem Phänomen
unseres wirklichen Lebens.

Der zweite Schritt wäre nun, zu zeigen, daß wir innerhalb
dieser Null-Stufe Gründe haben, einen hypothetischen
Zustand anzunehmen, der als ein Repräsentant des moralischen Standpunkts dienen soll. Das zu tun, hat Rawls
versäumt. Was er gezeigt hat, ist nur, daß der Urzustand
dieselben Bedingungen in sich vereinigt, die den moralischen
Standpunkt charakterisieren. Er hat nicht explizit gezeigt,
warum es *vorzuziehen* ist, die Wahlsituation von der Null-
Stufe auf den Urzustand zu verlegen. So bleibt unklar, ob
die Gründe für diese Verlagerung a) Gründe sind, die die
moralische Perspektive selbst verbessern, oder b) Gründe
der Praktikabilität oder c) Gründe, die etwas mit dem
besonderen Gegenstand der Wahl von Grundsätzen für die
Grundstruktur der Gesellschaft zu tun haben, aber vielleicht
nicht für andere moralische Fragen gelten. Und natürlich hat
Rawls keinen Versuch gemacht, die Vorteile seines Vor-
schlags gegen seine denkbaren Nachteile abzuwägen.

Im Schlußteil meines Vortrags werde ich nur eine Skizze zur
Beantwortung dieser Fragen geben. Der kennzeichnendste
Unterschied des Vertragsmodells vom ursprünglichen moralischen Standpunkt ist, daß es den Wahlakt von der Rücksicht
auf die Interessen aller zu trennen erlaubt. Unparteilichkeit
wird erreicht nicht durch die Intention, zu einer Übereinstimmung zu kommen, oder durch eine andere mit dem
Wahlakt gleichzeitige intentionale Bemühung, sondern durch
die vorgängige Anwendung eines Schleiers der Unwissenheit,
und das hat zur Folge, daß die Wahl jetzt eine »vernünftige
Entscheidung« sein kann, die nur auf den eigenen Vorteil
zielt, und es hat weiterhin zur Folge, daß die Rede von einer
»Übereinstimmung« in Wirklichkeit redundant wird, weil
die Übereinstimmung »einstimmig« wäre (d 162, e 139:
»Daher läßt sich die Übereinkunft im Urzustand als die eines
zufällig ausgewählten Beteiligten sehen«).

Es scheint, daß der Hauptgrund, warum Rawls den Urzustand als dem ursprünglichen moralischen Standpunkt überlegen betrachtet, darin liegt, daß er es erlaubt, sich die Theorie der Gerechtigkeit als »Teil der Theorie der rationalen Entscheidung« (d 33, e 16) vorzustellen, was etwas leichter zu Bewältigendes zu sein scheint als die Rationale Entscheidung mit groß geschriebenem »R«, von der wir auf der Null-Stufe sprechen müßten. Es bleibt jedoch zu prüfen, ob in der Praxis eine rationale Wahl, wenn sie im Urzustand getroffen wird, wirklich zu Ergebnissen führt, die in irgendeiner Weise besser sind als diejenigen, zu denen wir auf der Null-Stufe geführt würden. Der wichtigste Testfall hier ist offensichtlich Rawls' Rechtfertigung des »Differenzgrundsatzes« durch diese Methode, und ich werde auf dieses Problem zurückkommen. Auf jeden Fall wäre der Vorteil der Anwendbarkeit der Theorie der rationalen Entscheidung ein Vorteil der Praktikabilität; er würde nicht unseren Begriff der Gerechtigkeit verbessern, sondern die Entscheidungsverfahren, wie man zu gerechten Ergebnissen kommt. Das wäre allerdings ein Vorteil, den wir nicht unterschätzen sollten.

Ein anderer Aspekt, den Rawls öfters zugunsten des Urzustandes erwähnt, ist, daß er die Anwendung des Begriffs einer »reinen Verfahrensgerechtigkeit« erlaubt (d 159, e 136; d 338, e 304). »Reine Verfahrensgerechtigkeit liegt vor, wenn es keinen unabhängigen Maßstab für das richtige Ergebnis gibt, sondern nur ein korrektes oder faires Verfahren, das zu einem ebenso korrekten oder fairen Ergebnis führt, welcher Art es auch sei« (d 107, e 86). Soweit ich sehen kann, ist reine Verfahrensgerechtigkeit nur notwendig, wenn keine direkteren Entscheidungsverfahren verfügbar sind. Sie ist daher nicht geeignet für eine Klärung unseres allgemeinen Begriffs von Gerechtigkeit, sondern ist ein beschränktes, wenn auch wichtiges moralisches Mittel, geeignet für die Entscheidung bestimmter politischer und moralischer Probleme und nicht anderer. Wenn die An-

wendbarkeit dieses Begriffs ein Prärogativ des Urzustandes
wäre, hätten wir hier einen weiteren wichtigen Vorteil der
Praktikabilität, aber einen, der auf bestimmte Gegenstands-
bereiche beschränkt ist. Der Grund, warum der Urzustand
als besonders geeignet für die Anwendbarkeit reiner Verfahrensgerechtigkeit erscheint, liegt darin, daß diese Art von
Gerechtigkeit eine vorgängige Übereinkunft zur Befolgung
bestimmter Regeln impliziert. Es besteht aber kein Grund,
warum solche Übereinkünfte, ob hypothetisch oder wirklich, nicht direkt und ad hoc vom ursprünglichen moralischen Standpunkt aus erreicht werden könnten. Die Konzeption der Ausgangssituation gründet die gesamte Moral
auf eine vorgängige hypothetische Übereinkunft. Auf dem
ursprünglichen moralischen Standpunkt erscheint der allgemeine Begriff des Rechten nicht auf diese Weise, sondern er
läßt es offen, ihn in den Fällen auf diese Weise zu bestimmen, in denen es erforderlich ist.

Ich wende mich nun dem Problem des »Schleiers der Unwissenheit« zu. Rawls scheint insbesondere hier mehrere verschiedene Aspekte vermengt zu haben. Er führt den Schleier
der Unwissenheit in seinem üblichen synthetischen Stil mit
einem einzigen großen Wurf ein, ohne zu erklären, aus
welchen Gründen die verschiedenen Teile dieses Schleiers
notwendig sind. Die einzige Rechtfertigung, die er für den
Schleier in seiner Gesamtheit gibt (d 29, e 12; d 159, e 136),
kann in Wirklichkeit als eine Rechtfertigung nur für einen
seiner Teile dienen: um Unparteilichkeit zu sichern, hätte es
genügt, daß sich in der Ausgangssituation jeder in Unkenntnis seiner eigenen Identität befinden soll.[3] Rawls nimmt aber
zusätzlich an, daß die Vertragspartner in der Ausgangssituation auch die »besonderen Verhältnisse in ihrer eigenen
Gesellschaft« nicht kennen dürfen (d 160, e 137). Ein Grund

---

3 Vgl. R[ichard] M[ervyn] Hare, »Rawls' Theory of Justice«, in: *Philosophical
Quarterly* 23 (1973) S. 144–155, 241–251; auch in [und zit. nach]: Norman
Daniels (Hrsg.), *Reading Rawls. Critical Studies on Rawls' »A Theory of
Justice«*, Oxford 1975, S. 81–107, hier S. 89 f.

für diese Annahme ist, daß »Fragen der sozialen Gerechtig-
keit auch zwischen den Generationen entstehen« (d 160,
e 137), aber das allein wäre kein zureichender Grund für die
Forderung, daß wir in der Ausgangssituation sogar »den
Verlauf der Geschichte nicht kennen dürfen« (d 228, e 200).
Diese weiteren Beschränkungen entstehen nicht aus dem
Erfordernis der Unparteilichkeit, sondern weil »ohne diese
Beschränkungen des Wissens das Verhandlungsproblem im
Urzustand hoffnungslos verwickelt wäre« (d 164, e 140).
Hier haben wir also einen weiteren besonderen Aspekt des
Urzustandes, der nicht dem moralischen Standpunkt als
solchen entspricht, sondern aus Gründen der Praktikabilität
hinzugefügt wird. Und auch hier scheinen diese Einschrän-
kungen nur für bestimmte moralische Probleme geeignet,
obgleich diese die grundlegendsten sein mögen: in dem Vier-
Stufen-Modell wird dieser Teil des Schleiers nach und nach
aufgehoben (§ 31).
Erstaunlicherweise sagt Rawls, daß auf der letzten Stufe –
der »Anwendung von Regeln auf Einzelfälle« – der Schleier
der Unwissenheit vollständig beseitigt ist (d 228, e 199). Das
muß ein Irrtum sein, wenn die Wahl auf dieser letzten Stufe
immer noch eigennützig und das Ergebnis dennoch unparteiisch sein soll. Nur derjenige Teil des Schleiers kann auf
der vierten Stufe vollständig entfernt werden, der aus Gründen der Praktikabilität hinzugefügt wurde.
Wieder muß man fragen, ob der zusätzliche Schleier der
Unwissenheit, der nicht aus dem Erfordernis der Unparteilichkeit entsteht, wirklich ein Vorzug ist. Da er einfach auf
eine Entscheidung hinausläuft, alle diejenigen Faktoren, die
für die Lösung eines Problems irrelevant erscheinen, unberücksichtigt zu lassen, kann das natürlich ebensogut direkt
vom moralischen Standpunkt aus durchgeführt werden, und
wahrscheinlich besser, weil wir auf dem moralischen Standpunkt nicht ein für allemal von aller Information abgeschnit-
ten wären; die Frage, *welche* Tatsachen für die Wahl z. B.
der grundlegenden Gerechtigkeitsgrundsätze irrelevant sind,

könnte während des Überlegungsprozesses offenbleiben. Bei Rawls scheint eine Tendenz zu bestehen, von Anfang an alle diejenigen Aspekte des sozialen Lebens zu ignorieren, deren verhältnismäßiger Wert nicht quantifizierbar ist. Hier ist es die Methode der rationalen Wahl, die für den Schleier der Unwissenheit verantwortlich erscheint.

Ob nun alle diese zusätzlichen Aspekte, die den Urzustand vom ursprünglichen moralischen Standpunkt unterscheiden, wirklich Vorteile sind oder nicht: *wenn* sie Vorteile sind, sind sie Vorteile der Praktikabilität, nicht der Moralität; sie werden eingeführt, damit die Entscheidungen leichter durchgeführt werden können. Das war zu erwarten, da es widersprüchlich wäre zu denken, daß die spezifisch moralischen Aspekte des moralischen Standpunkts durch eine Veränderung seiner Wahlbedingungen verbessert werden könnten, da das, was wir mit »moralisch« oder »recht« meinen, durch den moralischen Standpunkt definiert ist. Rawls' Vorschlag, daß wir »etwas genau dann als recht« definieren könnten, »wenn es den Grundsätzen entspricht, die im Urzustand für Dinge dieser Art festgesetzt würden« (d 212, e 184; vgl. auch d 132, e 111), ist eine *petitio principii* und verdeckt die Tatsache, daß die moralische Adäquatheit des Urzustandes vom Standpunkt der Null-Stufe aus eingeschätzt werden muß. Der Begriff des Rechten kann nur definiert werden, indem man sagt, daß etwas genau dann recht ist, wenn es das Ergebnis eines Entscheidungsverfahrens ist, das auf der Null-Stufe beginnt (die ich natürlich nicht angemessen definiert habe). Das Beste, was man für den Urzustand sagen könnte, wäre, daß Rawls' Vier-Stufen-Modell das einzige oder das am besten zu handhabende Entscheidungsverfahren für die moralischen Probleme ist, die auf der Null-Stufe entstehen. Und in diesem Fall wäre die Konzeption der Gerechtigkeit als Fairness allerdings in der Tat gerechtfertigt.

Aber man muß sich jetzt die Frage stellen, ob die Vorteile an Praktikabilität, die möglicherweise durch die Verlagerung von der Null-Stufe auf den Urzustand gewonnen werden, nicht mit einem Verlust an moralischer Substanz bezahlt werden. Es ist nicht selbstverständlich, daß das Resultat dasselbe bleibt, wenn wir die Idee einer moralischen (unparteiischen) Entscheidung in die zwei Komponenten einer eigennützigen Entscheidung plus Unkenntnis der eigenen Identität auseinandernehmen. Die Vertragsposition mit ihrem Insistieren auf einer (wenn auch nur hypothetischen) *anfänglichen* Übereinkunft führt in die Probleme der Gerechtigkeit ein Nacheinander ein, das im ursprünglichen moralischen Standpunkt und unserer gewöhnlichen Vorstellung von Gerechtigkeit nicht enthalten ist. Es ist dieses Nacheinander, das es Rawls erlaubt, die Theorie der rationalen Wahl anzuwenden, aber die Wahrscheinlichkeitsprobleme, die dadurch hereinkommen, mit ihrem besonderen psychologischen Gegenstück – der Erwartung von Chancen und der Disposition gegenüber Risiken – scheinen überhaupt nichts Entsprechendes in einem gewöhnlichen moralischen Urteil zu haben, außer wo wir infolge der Natur des Falls nur Methoden reiner Verfahrensgerechtigkeit annehmen können. Es ist natürlich ein weiter Weg von der Meinung, daß man auf bloße Verfahrensgerechtigkeit zurückgreifen muß, wo wir nichts Besseres haben, bis zu der Behauptung, daß das gesamte Problem der sozialen Gerechtigkeit ein Problem der Gerechtigkeit als Fairness ist.

Rawls dachte, daß die Umformung des Problems der Gerechtigkeit in ein Problem der rationalen Wahl ihm die entscheidende Waffe gegen den Utilitarismus lieferte. Aber verschiedene Kritiker haben darauf hingewiesen, daß Rawls' Annahme, daß die vernünftigste Wahl in der Ausgangssituation eine Anwendung der Maximinregel und damit eine Option für eine egalitäre Gesellschaft wäre, irrig scheint.[4]

4 D. Lyons, »Nature and Soundness of the Contract and Coherence Arguments«, in: *Reading Rawls*, S. 141–167, hier S. 165 f.; vgl. auch Hare, ebd., S. 102 ff.; B. Barber, »Justifying Justice: Problems of Psychology, Politics and Measurement in Rawls«, in: *Reading Rawls*, S. 292–318, hier S. 296–298.

Wenn diese Kritiker recht haben, dann wäre die Folge aus Rawls' Prämissen die utilitaristische Position. Würde das beweisen, daß der Utilitarismus richtig und der Egalitarismus falsch ist? Sicher nicht, da der moralische Standpunkt klarerweise den Egalitarismus begünstigt. Was zu folgen scheint, ist somit vielmehr, daß der Urzustand kein angemessenes Modell für den moralischen Standpunkt darstellt. Angenommen jemand sagt: »Im Urzustand würde ich für ein gesellschaftliches System optieren, das vom utilitaristischen Grundsatz geleitet wird, weil mir das die größten Chancen gäbe; aber moralisch lehne ich ein solches System als ungerecht ab.« Rawls zufolge wäre es widersprüchlich, so etwas zu sagen, aber es scheint nicht widersprüchlich zu sein und könnte sogar wahr sein.

Ich glaube, daß die Verlagerung der ursprünglichen moralischen Wahlsituation in eine eigennützige Wahlsituation noch andere Konsequenzen hat, die zeigen, daß etwas von der moralischen Substanz verlorengeht. Eine davon betrifft das Argument für die Gewissensfreiheit. Im Urzustand kann man kaum so direkt wie Rawls für die Wichtigkeit dieses Rechts argumentieren (d 235, e 206). Warum sollten Leute, die nur eigennützig sind, überhaupt so etwas wie ein moralisches Gewissen schätzen? Wenn wir andererseits vom moralischen Standpunkt aus, wie ich ihn charakterisiert habe, argumentieren, gehen wir davon aus, daß wir jeden als eine moralische Person anerkennen, als ein Subjekt und nicht nur Objekt moralischer Überlegung.

Die letzten beiden Argumente waren zum Teil Argumente *ad hominem*: Sie würden zeigen, daß der Urzustand zu Ergebnissen führt, die nicht einmal mit Rawls' »wohlüberlegten moralischen Urteilen« übereinstimmen. Die Intention dieser Argumente ebenso wie der vorhergehenden war jedoch nicht, den Urzustand zu diskreditieren, sondern für eine analytische Auswertung dieser Konzeption zu plädieren.

(1976)

Antike und moderne Ethik

(an Gadamers 80. Geburtstag)

Geburtstage sind nur beiläufig Zeitangaben. Sie bestehen darin, Gelegenheit zu geben, einer geschätzten oder geliebten Person, wenn sie noch jünger ist, Glück zu wünschen; wenn sie schon älter ist, sie als εὐδαίμων zu feiern. Sind es Philosophierende, die sich an einem solchen Tag zusammenfinden, so neigen sie freilich dazu, *über* das zu reden, was andere einfach tun, und so möchte auch ich auf die alte, aber auch vernachlässigte Frage hinaus: was das denn ist – Glück oder εὐδαιμονία.

Dieser Frage gerade am Geburtstag eines Philosophen nachzugehen, gibt einem – gibt mir – die Chance, die übliche objektivistische Maske philosophierender Rede, als würde von irgendwem zu irgendwem über ein Thema an sich geredet, abzustreifen. Ich möchte also die Chance wahrnehmen, mich explizit in die 1. Person zurückzustellen, das heißt, die Frage gerade so aufzuwerfen, wie sie sich mir aus der an sich zufälligen Perspektive stellt, in der ich mich gerade befinde, und dies zugleich in 2. Person zu tun, also im Gespräch mit Hans-Georg Gadamer.

Jedes philosophierende Gespräch ist, sofern es den Sinn hat, die eigene Ansicht von der Sache zu verbessern, indem man das zu verstehen versucht, was der andere einem zu sagen hat, Hermeneutik in Gadamers Sinn. Ein philosophisches Gespräch, das also schon als solches immer hermeneutisch ist, wird aber, wenn es ein Gespräch gerade mit Gadamer sein will, auch sein Thema hermeneutisch, und das heißt jetzt: historisch verstehen müssen. Ich war zwar bisher nicht gewohnt, philosophische Fragen in hermeneutischer Brechung anzugehen, glaube aber an einen Punkt gekommen zu sein, wo sich die Grenzen meiner bisherigen unhistorischen Vorgehensweise zeigen, und ich erkenne, daß ich das

Gespräch mit dem Hermeneutiker brauche, das mich seinerseits in das Gespräch mit der Geschichte verweist. Die Frage, die ich hier zur Diskussion stellen will, die die Notwendigkeit einer Auseinandersetzung der modernen mit der antiken Ethik betrifft, ist *ein* Beispiel, an dem mir das deutlich geworden ist. Bevor ich in diese hermeneutische Thematik einsteige, ist nun aber eine Verständigung erforderlich über das, was in der Philosophie Hermeneutik überhaupt besagen kann. Oder, um es wieder aus der Perspektive der 2. Person zu formulieren: Wenn man sich mit Gadamer über eine philosophische Frage auseinandersetzen will, muß man nicht nur diese Frage in der hermeneutischen Dimension sehen, sondern man wird sich mit ihm immer auch über den Sinn von Hermeneutik auseinandersetzen müssen, also darüber, was es denn im allgemeinen ist, was man tut oder tun sollte, wenn man eine philosophische Frage in der hermeneutischen Dimension angeht.

Auf diese Vorfrage kann ich nur ganz summarisch eingehen, ich werde lediglich dogmatisch angeben, welches, in Abhebung zu Gadamers Konzeption, ungefähr meine Vorstellung ist. Sie könnten fragen, ob eine solche dogmatische Stellungnahme nicht das gerade Gegenteil des von mir angestrebten Gesprächs ist. Nun halte ich aber hier ohnehin erstmal einen μακρὸς λόγος, und in einem solchen läßt sich das Gesagte für die nachfolgende Diskussion gerade dadurch offenhalten, daß man es nur dogmatisch nennt (denn so wird es als bloße subjektive Meinung gekennzeichnet), während die argumentative Absicherung und gar die Inszenierung eines fiktiven Gesprächs in einem Vortrag gerade zur Abkapselung gegenüber dem wirklichen Gespräch dienen kann.

Was mich an Gadamers Konzeption von philosophischer Hermeneutik nicht überzeugt, ist nach wie vor,[1] daß er sie nach dem Modell der Begegnung mit Kunstwerken versteht. Damit hängt erstens zusammen, daß für Gadamer die her-

---

1 Vgl. meine Rezension in *The Times Literary Supplement* 77 (1978) S. 565. Dort wird auch das im nächsten Satz Gesagte näher ausgeführt.

meneutische Ausgangssituation die Begegnung mit dem anderen ist, die freilich nur produktiv werden könne, wenn man zugleich auf sich reflektiert, während ich die Reflexion auf sich, auf das eigene Verstehen, als die Ausgangssituation ansehen möchte, und die Notwendigkeit der historischen Vertiefung ergibt sich erst aus dieser. Dieser erste Unterschied könnte als bloße Gewichtsverlagerung erscheinen, mit ihm hängt aber ein zweiter Unterschied zusammen, der den Wahrheitsbegriff betrifft. Die Wahrheit verschiedener Kunstwerke – einmal unterstellt, daß man hier von Wahrheit reden kann – relativiert sich gegenseitig nicht. Hingegen gründet es im Sinn der Aussagenwahrheit, daß verschiedene philosophische Konzeptionen von einer Sache sich gegenseitig relativieren, und man kann nach meiner Meinung eine philosophische Hermeneutik nur angemessen konzipieren, wenn es gelingt, dieser Relativierung einen mit der Aussagenwahrheit vereinbaren, und das heißt nicht relativistischen Sinn zu geben. Eine schlechthinnige Relativierung derart, daß die Wahrheit in einen Sternenhimmel von Möglichkeiten zersplittert, so daß man immer sagen kann, man kann es so sehen, wie A sagt, und man kann es auch so sehen, wie B sagt usw., widerspricht dem eigenen Wahrheitsanspruch von A, B usw., und mir scheint, daß Gadamers Auffassung tendenziell zu einem Relativismus dieser Art führt. Eine andere Form von Relativismus, die ebenfalls dem Wahrheitsanspruch der Aussagen widerspricht, liegt Gadamer fern. Das ist die historische Relativierung in dem Sinn, daß man sagt, unter den kausalen Bedingungen x, y, z erscheint das als wahr, was A sagt, unter den Bedingungen u, v, w das, was B sagt. Diese zweite Auffassung wäre gar nicht mehr eine hermeneutische, sondern eine erklärende. Ihr zufolge würde nicht mehr, worauf Gadamer immer insistiert, der Wahrheitsanspruch von A, B usw. ernst genommen, man würde nicht mehr *mit* A, B usw. sprechen, sondern *über* sie in 3. Person. Aber das Bedeutsame dieses erklärenden, nicht-hermeneutischen Relativismus scheint

mir darin zu liegen, daß er sich in die Perspektive der
1. Person integrieren läßt. Sobald nämlich der Betroffene
selbst sich dessen bewußt wird, daß seine bisherige Auffassung von einem Gegenstand abhängig war von bestimmten
Bedingungen, bleibt er nicht wie der Beobachter in 3. Person bei dieser Feststellung stehen, sondern da er weiterhin
auf die Erkenntnis des Gegenstandes ausgerichtet ist, kann
er gar nicht anders, als eine neue Auffassung vom Gegenstand auszubilden, die von dieser Relativität frei ist. So
ergibt sich die Möglichkeit einer progressiven Entrelativierung. Diese setzt aber voraus, daß an dem absoluten Wahrheitsanspruch festgehalten wird. Nur aus der Perspektive
eines absoluten Wahrheitsanspruchs führt die Einsicht in die
Bedingtheit einer Auffassung statt in einen Relativismus zu
ihrer Entrelativierung.

Jetzt kann ich erklären, wie ich mir ungefähr eine hermeneutische Vorgehensweise in der Philosophie vorstelle. Der
Ausgangspunkt (sozusagen die Thesis) ist immer der naive,
vor-hermeneutische Sachbezug in 1. Person, getragen von
einem absoluten Wahrheitsanspruch. Was aus dieser Perspektive behauptet wird, wird in Frage gestellt, sobald ich
auf die Bedingtheit meiner Auffassung aufmerksam werde,
oder auch, wenn ich einer anderen Auffassung von demselben Gegenstand begegne. Das ist gewissermaßen die Anti-
thesis. Und die Synthesis besteht in einer neuen einheitlichen Auffassung von der Sache, in der die andere Auffassung integriert ist; das läßt die beiden Grenzfälle zu, daß
man glaubt erkennen zu können, daß die andere oder auch
die eigene Auffassung einfach falsch bzw. durch die jeweils
andere bereits überholt ist; der normalere Fall ist, daß man
eine dritte Auffassung entwickeln muß, gegenüber der sich
nun sowohl die ursprüngliche eigene wie die, der man in
einer hermeneutischen Erfahrung begegnet ist, als einseitig
erweisen. Die Konzeption, die ich hier vertrete, könnte wie
eine Hegelianisierung der Hermeneutik erscheinen. Doch
geht der hermeneutische Prozeß, wie ich ihn sehe, Schritt

für Schritt vor sich, keine hermeneutische Erfahrung läßt sich vorweg antizipieren, und außerdem ist der jeweilige Ausgangspunkt der kontingente eigene. Worauf ich gegenüber Gadamer insistieren möchte, ist nur, daß sich die hermeneutische Erfahrung auf die vor-hermeneutische, naive Erfahrung aufbaut. Nur so, indem der absolute Anspruch der naiven Erfahrung bestehen bleibt, läßt sich, meine ich, ein Relativismus vermeiden.

Mit dieser Vorbemerkung wollte ich nur die Perspektive deutlich machen, aus der ich ein hermeneutisches Problem wie das der antiken und modernen Ethik angehen möchte. Es ist zunächst aus dem eben Gesagten allemal klar, daß der Titel eigentlich hätte lauten müssen »Moderne und antike Ethik«. Der Ausgangspunkt ist der naive Sachbezug innerhalb der eigenen, modernen Tradition; ich kann nicht wie der Historiker mich vergleichend irgendwie über die beiden Traditionen stellen; denn für den Philosophierenden gibt es keinen dritten Ort. In der modernen Tradition stehend, begegne ich einer anderen, der antiken. Die antike ist nun nicht einfach eine fremde Tradition, sondern eine Tradition, von der sich die moderne bewußt abgesetzt hat. Ich werde also zuerst die Begründung für diesen Schritt überprüfen müssen. Überzeugt sie, so folgt daraus, daß, was immer die antike Tradition enthalten mag, was über die moderne hinausweist, woran sich die moderne als einseitig erweist, wir nicht einfachhin auf die antike Tradition zurückgreifen können, sondern wir können, was wir da in der Antike finden, nur als Indiz eines bei uns offengebliebenen Problems werten, und dieses können wir nun nicht anders als auf unserem Boden, mit unseren Begründungsmethoden neu angehen. Das sind natürlich zusätzliche starke subjektive Meinungen, die ich ebenso wie alles folgende nicht zureichend begründen werde. Was ich bei dem, was ich hier sagen werde, anstrebe, ist nicht, daß Sie es für wahr, sondern nur, daß Sie es wenigstens für sinnvoll und also für diskutabel halten.

Zuerst stellt sich natürlich die Frage, ob man mit den globalen Titeln »antike« und »moderne Ethik« überhaupt etwas Identifizierbares ausgrenzen kann. Ich werde dieser Frage ausweichen, indem ich in den beiden Feldern der antiken und der modernen Ethik jeweils an einer Stelle einen Pflock festmache, nämlich bei Aristoteles und Kant, und sage: und gemeint ist auch das umliegende Feld; dabei lasse ich es offen, wie weit das umliegende Feld reicht. Natürlich ist eine solche Entscheidung, gerade Kant als Ausgangspunkt zu nehmen, nur möglich, wenn mein eigenes naives Selbstverständnis, von dem ich ja letztlich auszugehen habe, in der Kantischen Tradition steht. Zur Plausibilisierung der weitergehenden Implikation, daß man die Kantische Ethik als repräsentativ für die moderne Ethik ansehen kann, möchte ich nur folgendes bemerken. Mir scheint, daß die einzige andere, von der Kantischen unabhängige moderne ethische Tradition die des Utilitarismus ist; an derjenigen Stelle in der Konfrontation mit der antiken Ethik, auf die es mir schließlich ankommen wird, sitzen aber Kant und der Utilitarismus im selben Boot. Die anderen ethischen Traditionen hingegen, die sich in der Moderne entwickelt haben, wie die Hegelsche oder die materiale Wertethik, sind ihrerseits Reaktionen auf die Kantische Ethik, die zudem eine von Kant erreichte und nach meiner Meinung nicht mehr aufzugebende Begründungsebene wieder preisgegeben haben; darauf komme ich noch zurück. Außerdem haben diese ethischen Traditionen in ihrer Reaktion auf Kant auch auf die Antike in einer bestimmten Interpretation zurückgegriffen, so daß ihre Einbeziehung im jetzigen Zusammenhang übermäßige Komplikationen erzeugen würde. Die andere Entscheidung, sich für die antike Ethik paradigmatisch an Aristoteles zu orientieren, ist gewiß weniger problematisch, insbesondere aber für den folgenden Gedankengang ohne Konsequenzen, denn soweit Sie mit ihr nicht einverstanden sind, können Sie die Rede von »antiker Ethik« einfach durch »aristotelische Ethik« ersetzen.

Inwiefern kann uns also, sofern wir die ethischen Fragen aus der Perspektive Kants sehen, die Begegnung mit Aristoteles auf ein Manko in der eigenen Position aufmerksam machen? An dieser Stelle möchte ich mich noch einmal in den direkten Dialog mit Gadamer zurückstellen. Denn eine Konfrontation der Aristotelischen mit der Kantischen Ethik finden wir auch bei ihm, insbesondere in seinem Walberberger Vortrag aus dem Jahre 1961 »Über die Möglichkeit einer Philosophischen Ethik«.[2] Dabei steht für Gadamer sowohl hier wie an anderen Stellen in seinem Werk das Eigentümliche des Aristotelischen Begriffs der φρόνησις im Vordergrund.[3] Während es in der »Gesetzesethik« Kants so aussieht, als könne, was in der jeweiligen Handlungssituation das Richtige ist, aus dem allgemeinen Moralprinzip abgeleitet werden, hat Aristoteles einen Begriff von sittlichem Wissen, demzufolge das jeweils Richtige von dem, der sich in der angemessenen, und das heißt auf das Prinzip ausgerichteten Verfassung befindet, in der Situation unableitbar erkannt werden muß. Gadamer stellt, seiner Auffassung von Hermeneutik entsprechend, die Aristotelische Position der Kantischen global entgegen. Wenn philosophische Konzeptionen wie Kunstwerke sind, muß es in der Tat unerlaubt erscheinen, Transplantationen vorzunehmen. Wenn es aber um Wahrheit geht, müßte man den Kantianer selbst von der größeren Angemessenheit der Aristotelischen Konzeption in diesem Punkt überzeugen können, das hieße aber: ihn entweder zur Preisgabe seiner Position bringen oder aber zeigen, daß sich das Aristotelische Anwendungsproblem gerade auch dann stellt, wenn man von einem Unparteilichkeitsprinzip, wie es der kategorische Imperativ ist, ausgeht. Auch was jeweils unparteilich ist, so könnte man zu zeigen versuchen, läßt sich nicht aus dem Prinzip

2 Hans-Georg Gadamer, »Über die Möglichkeit einer Philosophischen Ethik« (1961), in: *Kleine Schriften*, Bd. 1, Tübingen 1967, S. 179–191.
3 Vgl. auch: Hans-Georg Gadamer, *Wahrheit und Methode*, 3., erw. Aufl. Tübingen 1972, S. 295 ff.

einfach ableiten, sondern erfordert ein situationsbezogenes, nicht-deduktives Urteilsvermögen. Damit möchte ich nur die Richtung anzeigen, in der ich versuchen würde, den von Gadamer so überzeugend zur Geltung gebrachten φρόνησις-Gedanken in die kantianische Position zu integrieren.

In dem Walberberger Vortrag verbindet sich nun allerdings in dem Vergleich Kant–Aristoteles mit diesem ersten Punkt ein zweiter. Die Fähigkeit zum richtigen konkreten sittlichen Urteilen – zur φρόνησις – ist nach Aristoteles bekanntlich kein freischwebendes intellektuelles Vermögen, sondern hängt von der angemessenen affektiven Verfassung des Menschen ab, die ihrerseits auf richtige Erziehung verweist. Gadamer beschreibt diesen Zusammenhang als einen solchen »zwischen der Subjektivität des Wissens und der Substantialität des Seins«[4] und spricht auch von der »tragenden Substantialität von Recht und Sitte«[5]. Wenn man diese freilich ziemlich offene Anknüpfung an die Hegelsche Kant-Kritik ein wenig verschärft, könnte sich etwa folgende Beurteilung der Differenz von Kant und Aristoteles in diesem Punkt ergeben: Kant insistiere zu Unrecht so ausschließlich auf der Frage der Begründbarkeit des praktisch Richtigen; das praktisch Richtige lasse sich nur erkennen, wenn man sich zugleich in die Vorgegebenheit von Recht und Sitte zurückstellt; und eben das habe Aristoteles gemeint. Ich glaube nicht, daß ich die Auffassung Gadamers damit genau wiedergebe, und vielleicht baue ich mir nur einen Popanz auf, aber den brauche ich an dieser Stelle, um, was ich dazu meine, deutlicher abheben zu können. Und wieder will ich mich mit einer dogmatischen Gegenüberstellung begnügen.

Ich meine also: 1. Aus der Abhängigkeit der sittlichen Urteilsfähigkeit von der richtigen affektiven Verfassung,

4 Hans-Georg Gadamer, *Kleine Schriften*, Bd. 1, S. 187.
5 Ebd., S. 186.

und das heißt von der richtigen Erziehung folgt nicht, daß, was richtige Erziehung ist, nicht seinerseits begründbar ist, es folgt also nicht, daß man die Moral in eine vorgegebene, und das heißt auf ihre Begründbarkeit nicht mehr zu hinterfragende Sittlichkeit zurückzustellen hat. 2. Daß man etwas als richtig oder gut hinnimmt, weil es durch Sitte so vorgegeben ist, ohne es selbst als richtig oder gut ausweisen zu können, finde ich unakzeptabel; es widerspräche nicht nur einer modernen Idee von Philosophie, sondern dem, was schon seit Sokrates Philosophie heißt: radikale Rechenschaft geben. 3. Man kann wohl sagen, daß das Kriterium des sittlich Richtigen, das Aristoteles angibt: die Ausgewogenheit, so unbestimmt bleibt, daß es seine Bestimmtheit faktisch durch das durch die Sitte seiner Zeit Vorgegebene gewinnt; aber ich meine, man muß unterscheiden, worauf die Aristotelische Position faktisch hinausläuft, gewissermaßen hinter seinem Rücken, und worin sie ihrer eigenen Intention nach besteht. Aristoteles hat nie selbst das Vorgegebene als maßgebend bezeichnet. Er hat durchaus einen Begründungsanspruch erhoben, aber es war einer, der letztlich nicht greifen konnte. 4. Die Moderne unterscheidet sich von der Antike durch die Radikalisierung der Ausweisungskriterien, und zwar sowohl bei praktischen wie bei theoretischen Urteilen. Für Kant darf es nicht mehr im Unbestimmten bleiben, wie eine Klasse von Urteilen zu begründen ist. So kommt es zur Unterscheidung einer empirischen Begründung von einer apriorischen in einem engen, berechtigten Sinn und wiederum von einer metaphysischen, unberechtigten Begründung, für die sich keine objektiven, allgemeingültigen Kriterien angeben lassen. Das mag im einzelnen revisionsbedürftig sein. Die Radikalisierung des Begründungsgedankens ist jedoch ein Fortschritt im Sinn der seit Sokrates intendierten Autonomie und Rechenschaftsgabe.

Ich möchte also die zwei Punkte, die in Gadamers Vergleich zwischen Aristoteles und Kant zu verschmelzen scheinen, trennen. Dabei unterscheide ich mich hinsichtlich des zweiten Punktes von Gadamer vor allem in der Bewertung. Wir können hinter die modernen Begründungsansprüche nicht zurück. Freilich sehe auch ich zwischen dem zweiten und dem ersten Punkt einen Zusammenhang, den ich aber anders beschreiben würde. Ein moralischer Satz, in dem nicht gesagt wird, was wir wollen, sondern was wir sollen, kann nicht ein empirischer Satz sein, denn dann wäre er ein theoretischer Satz, kein Sollsatz, und wir hätten, was auf englisch die *naturalistic fallacy* genannt wird. Er kann also nur entweder auf eine Dezision zurückgehen, also überhaupt nicht begründbar sein, oder er muß a priori begründbar sein, und dabei kommt natürlich nur ein formales, nicht ein metaphysisches Apriori in Frage. Es war also der radikalisierte Begründungsanspruch, der Kant zu seinem formalapriorischen Moralprinzip führte. Dieser Ansatz ließ sich nun am einfachsten so durchführen, daß nicht nur das Prinzip selbst a priori gilt, sondern daß auch die aus ihm generierbaren konkreten Normen einen apriorischen Corpus bilden, der dann ein für allemal feststeht, und das heißt dann eben: Es bleibt nicht einer situationsbezogenen Urteilskraft überlassen zu entscheiden, was im jeweiligen konkreten Fall das Richtige ist.

Was also Gadamer in seinem ersten Punkt als Kants Schwäche im Vergleich zu Aristoteles konstatiert, ist auch nach meiner Beschreibung des zweiten Punktes eine Folge, wenn auch keine zwingende Folge, dieses zweiten Punktes. Nun verkörpert dieser aber in meiner Sicht Kants Stärke im Vergleich zu Aristoteles und erscheint unaufgebbar. Dann ergibt sich aber die Aufgabe, die uns von Gadamer wieder nahegebrachte Einsicht des Aristoteles in die Situationsbezogenheit des sittlichen Urteils *auf* der Ebene des radikalisierten Kantischen Begründungsanspruchs neu zu durchdenken und in die Kantische Moralkonzeption zu integrieren. Wenn, so muß nach meiner Meinung die Frage lauten, die konkreten moralischen Urteile nicht, wie Kant meinte, aus dem Moralprinzip einfach ableitbar sind, wenn sie ihrerseits nicht a priori zu begründen sind, was ist es dann, worauf sie sich zusätzlich zum Prinzip gründen? Hier scheint es zwei sich nicht ausschließende Möglichkeiten zu geben. Die eine ist, daß das konkrete moralische Urteil überhaupt nicht abschließend zu begründen ist, daß es einen dezisionistischen Rest enthält. Der moralisch Urteilende zielt zwar auf Unparteilichkeit, kann aber das konkrete Ergebnis seines situationsbezogenen Urteils nicht mehr begründen. Oder man müßte zeigen, daß und wie in die Begründung des situationsbezogenen Urteils neben dem apriorischen Prinzip auch empirische Erkenntnisse eingehen, und man müßte also die Struktur dieser spezifisch moralischen Erfahrung und Begründung aufklären. Man könnte meinen, daß das Zugeständnis einer dezisionistischen Komponente dem radikalisierten Begründungsanspruch widerspräche. Aber das wäre ein Mißverständnis. Der radikalisierte Begründungsanspruch verlangt lediglich, den Begründungsstatus nicht im Unbestimmten zu lassen; dabei ist die Auffassung, daß ein Urteil überhaupt nicht oder nur partiell begründbar ist, ein legitimer Grenzfall. Der Dezisionismus steht ebenso auf dem Boden der Autonomie wie der Rationalismus.

Doch ich wollte nur die Richtung andeuten, in der ich meine, daß man als moderner, durch Kant hindurchgegangener Moralphilosoph den φρόνησις-Gedanken des Aristoteles sich anzueignen versuchen müßte. Damit wollte ich auch nur die methodische Perspektive vorbereiten, in der ich jetzt auf einen anderen Aspekt der Aristotelischen und überhaupt antiken Moralphilosophie eingehen möchte, der geeignet ist, uns auf ein anderes Defizit der modernen Ethik aufmerksam zu machen. Er betrifft die Frage, was denn überhaupt der Gegenstand der Ethik ist. Es ist bekannt, daß sich unter dem gleichen Wort »das Gute« in der antiken und in der modernen Ethik verschiedenartige Themen verbergen. Die antike Frage nach dem ἀγαθόν, dem *bonum* betraf das, was jeweils für den einzelnen gut ist, sein Wohl, das,

worin sein Wollen sich wahrhaft erfüllen kann, die εὐδαιμονία. Der Gegenstand der Kantischen oder auch der utilitaristischen Ethik hingegen betrifft die intersubjektiven Normen. Die Fragestellung der antiken Ethik war: was ist es,
was ich für mich wahrhaft will; die der modernen: was ist es,
was ich mit Bezug auf die anderen soll. Das heißt natürlich
nicht, daß die Griechen diese Thematik der modernen Ethik
nicht kannten; sie hatten aber für sie eine andere Bezeichnung: nicht τὸ ἀγαθόν, sondern τὸ καλόν. Diese moralische
Thematik, die des καλόν, kommt freilich in der antiken
Ethik auch vor, aber so, daß sie in die Frage nach dem
wahren Glück integriert wird. Es ist bekannt, wie es dazu
gekommen ist. Die Stoßrichtung der sophistischen Aufklärung ging dahin, die traditional vorgegebene Moral als heter-
onom zu entlarven und ihr die autonome Praxis als auf das
Eigeninteresse ausgerichtet entgegenzustellen. Platon hat
diesen Ansatz soweit übernommen, als auch für ihn das
traditional Vorgegebene als solches keinen begründeten
Anspruch erheben kann, befolgt zu werden, und auch für
Platon läßt sich eine autonome Praxis nur als solche verstehen, die auf das wohlverstandene Eigeninteresse ausgerichtet
ist, und die bekannte und für die gesamte antike Ethik
maßgebend gebliebene These war nun, daß gerade das
καλόν das wahrhafte ἀγαθόν ist, daß wir also nur, wenn wir
uns moralisch verhalten, unser wohlverstandenes Eigeninteresse erreichen, eine These, für die natürlich eine scharfe
Unterscheidung zwischen scheinbarem und wohlverstande-
nem Eigeninteresse, zwischen scheinbarem und wahrem
Glück erforderlich war. Aber nicht erst die moralische
Problematik, sondern das offenkundige Faktum, daß wir in
dem, was wir wirklich wollen, unsicher sein und andere um
Rat fragen können, machte deutlich, daß man unterscheiden
muß zwischen dem – wie Aristoteles sagt – φαινόμενον
βουλητόν und einem βουλητὸν ἀληθές, zwischen dem,
worin der Wille sich faktisch erfüllt, und dem, worin er sich
eigentlich erfüllt, und das wiederum scheint ein vom fakti-

schen Wollen unabhängiges Maß zu erfordern. Hier legte sich die Rede von einer psychischen Gesundheit nahe und auch die Begriffe von τέλος und ἔργον, also – so können wir uns das vielleicht übersetzen – die Idee einer vollkommenen Selbstentfaltung, und die These war also: Nur wer diese erreicht hat, nur der psychisch Gesunde, kann wahrhaft glücklich sein.

Ethik im antiken Sinn bezieht sich also primär auf die Frage nach dem wahren Glück und schließt doch sekundär die moralische Problematik mit ein. Die moderne Ethik hingegen bezieht sich, wenn wir uns an Kant und am Utilitarismus orientieren, nicht primär auf die Moral, also auf das, was die Griechen τὸ καλὸν καὶ τὸ δίκαιον nannten, sie enthält vielmehr diejenige Frage, die für die Griechen die primäre war, die Frage nach dem ἀγαθόν, nach dem wahren Glück, überhaupt nicht mehr. Warum nicht? Die Gründe sind bei Kant deutlich zu fassen. Man kann die Frage nach dem wahren oder wirklichen Glück mehr von der subjektiven Seite angehen, indem man eine bestimmte Art der Gefühlszuständlichkeit als die des wahren Glücks auszeichnet, oder mehr objektiv, indem man ein Kriterium angibt, das nicht selbst ein Gefühlszustand ist, sondern eine bestimmte Verfassung der Person, also etwa die eben schon erwähnte vollständige Selbstentfaltung. Beide Möglichkeiten, die objektive wie die subjektive, werden von Kant verworfen. Kant verwirft erstens jeden Rekurs auf einen Vollkommenheitsbegriff in der Ethik, weil solche Begriffe »leer und unbestimmt« seien und man sich mit ihnen lediglich »im Zirkel« bewege:⁶ Es werde dann nur in das theoretische Menschenbild das hineingelegt, was man schon praktisch-normativ voraussetzt. Oder, um das von Kant Gemeinte deutlicher auf mein Problem zuzuspitzen: Man kann dem Willen nicht von irgendeiner deskriptiven Kon-

---

6 Kant, *Grundlegung zur Metaphysik der Sitten*, in: *Gesammelte Schriften*, hrsg. von der Kgl. Preußischen Akademie der Wissenschaften [im folgenden zit. als: Akademie-Ausgabe], Bd. 4, S. 443.

zeption des richtigen Menschseins zudiktieren, worin allein er sich wahrhaft erfüllen könne. Worin sich der Wille wahrhaft erfüllt, kann sich nur an dieser Erfüllung selbst, in der entsprechenden Gefühlszuständlichkeit zeigen. Wie es keinen legitimen Übergang vom Sein zum Sollen gibt, so gibt es auch keinen legitimen Übergang vom Sein zum Wollen. Oder, um dasselbe nochmal anders auszudrücken: Über das wahre Glück kann nur das Glück selbst entscheiden.

Wir sehen uns also auf die subjektive Variante zurückverwiesen, aber diese wird von Kant ebenfalls verworfen. Kant und Bentham kommen darin überein, daß man nicht höhere oder wahrere Freuden von niedrigeren unterscheiden könne. Kants entscheidendes Argument lautet: Während es in der Moral hinsichtlich dessen, was wir tun *sollen*, objektive, allgemeingültige Regeln gibt, gibt es keine objektiven, allgemeingültigen Verhaltensregeln für das Erreichen von Glück. Welches Handeln schlechthin gut, das heißt moralisch gut ist, läßt sich objektiv begründen, hingegen läßt sich nicht objektiv, allgemeingültig begründen, welches Handeln gut für mich ist, mein Wohl fördert. Ein bestimmter inhaltlicher Begriff von Glück läßt sich nicht begründen, und das erscheint insofern einleuchtend, als wir uns entweder auf das subjektive Faktum, worin sich unser Wollen und Wünschen erfüllt, verwiesen sehen, und das ist dann keine objektive Begründung, oder wir müssen auf einen von der subjektiven Zuständlichkeit unabhängigen Maßstab rekurrieren und setzen uns dann Kants Kritik am Vollkommenheitsbegriff aus. So zeigt sich: Der Grund, warum in der modernen Ethik die Frage nach dem eigentlich Gewollten nicht nur gegenüber der nach dem Gesollten zurücktritt, sondern überhaupt herausfällt, ist wiederum der verschärfte Begründungsanspruch. Daneben darf man freilich auch die emanzipatorische politische Stoßrichtung dieser Konzeption nicht übersehen: die für die liberale Rechtskonzeption grundlegende Überzeugung, daß es jedem selbst überlassen bleiben soll, wie er sein eigenes Leben gestaltet. Das ist ein Sollsatz, der sich geradezu aus dem kategorischen Imperativ herleiten läßt. Freilich setzt dieses Verbot, in die Autonomie des einzelnen einzugreifen, nicht voraus, daß es keine objektiv begründbaren Prinzipien der Lebensgestaltung gibt, aber wo man an solche Prinzipien glaubt, ist der Schritt zu einer Sittendiktatur doch sehr naheliegend.

Heißt das, daß wir heute auf das, was für die Alten die Grundfrage war, verzichten können? Ich meine, nein. Ich will hier nicht das von der Sache her grundlegende Argument ausführen, daß wir nämlich als mit der Fähigkeit zu überlegen begabte Wesen gar nicht umhin können, die Frage nach unserem wirklichen Wohl zu stellen, daß wir also immer schon für uns selbst in der Spannung zwischen faktischen und wahren Interessen, zwischen vermeintlichem und wahrem Glück stehen. Statt dessen möchte ich nur darauf hinweisen, daß die Frage nach dem moralisch Guten ihrem Sinn nach eine höherstufige Frage ist, die schon selbst auf die Frage nach dem, was *für* jemanden gut ist, verweist, und das nach zwei Hinsichten.

Erstens inhaltlich. Denn moralisch gut ist, was im unparteilichen Interesse aller ist (auch Kants kategorischer Imperativ hat letztlich diesen Sinn). Das impliziert aber, daß wir, um zu erkennen, was moralisch geboten ist, wissen müssen, was im Interesse eines jeden ist, und hier geht es letztlich nicht um das faktische, sondern um das wohlverstandene Interesse eines jeden. Zwar darf dieses nicht antizipiert werden, weil sonst die Autonomie der Betroffenen verletzt würde, es besteht aber ein moralisches Interesse daran, daß die Betroffenen zu erkennen versuchen, was sie wahrhaft wollen. Deutlicher als in der individuellen Moral zeigt sich das im Bereich der sozialen Moral, der Gerechtigkeit. Soziale Gerechtigkeit besagt Gleichverteilung: aber Gleichverteilung wovon? Wir haben, meine ich, seit Kant die Erfahrung gemacht, daß formale Rechtsgleichheit nicht ausreicht, und inzwischen machen wir, meine ich, die weitere Erfahrung, daß auch eine ökonomische Gleichheit oder Chancengleich-

heit nicht ausreicht, weil sie eine ökonomische Definition
des Wohls des einzelnen voraussetzt. Diese Minimaldefini-
tion des Wohls schien die Lebensgestaltung der Autonomie
des einzelnen zu überlassen. In Wirklichkeit impliziert diese
Konzeption von Gerechtigkeit eine bestimmte Vorentschei-
dung für die Lebensgestaltung des einzelnen, und außerdem
erweist sich die Lebensgestaltung des einzelnen immer mehr
als abhängig und verflochten in die gesamtgesellschaftlichen
Entscheidungen, die ihrerseits mit dem Anspruch auf
Gerechtigkeit auftreten, das heißt aber dann: Diese Gerechtigkeit läßt sich nicht mehr als eine solche von ökonomischen Chancen verstehen, sie muß allgemeiner als eine von
Lebens- bzw. Glückschancen verstanden werden, das aber
setzt voraus, daß in ihre Konzeption die Reflexion darauf
eingehen muß, was Glück ist. Ich sage natürlich mit Absicht
»Glück« und verwende nicht solche Ausdrücke wie »men-
schenwürdiges Leben«, weil gegen sie sofort die Kantische
Kritik am Vollkommenheitsbegriff greifen würde. So
schwierig es auch sein mag, die Frage nach dem wirklichen
Glück auf der Ebene der mit Kant erreichten Begründungsansprüche zu stellen, so können wir doch diese Frage heute
nicht mehr wie Kant als für die Frage nach dem moralisch
Guten irrelevant ansehen; vielmehr hat gerade die Erfahrung, die wir seither mit dem nach meiner Meinung in
seinem Fundament unaufgebbaren Kantischen Moralbegriff
in seiner Auswirkung auf die Konzeption sozialer Gerechtigkeit gemacht haben, gezeigt, daß die Konkretion dieses
Moralbegriffs nicht nur überhaupt situationsbezogen sein
muß, sondern so, daß sie sich auf die Glücksproblematik
verwiesen sieht.

Das scheint sich nun aber auch in einer zweiten Hinsicht
aufzudrängen. Diese betrifft die *Motivation* zum moralischen Handeln, also die Frage: Warum moralisch sein wollen? Es war diese Frage, die die Alten nur im Rekurs auf das
wahre Glück glaubten beantworten zu können, und mir
scheint, daß eine andere Antwort im Prinzip gar nicht

möglich ist. Kant hat bekanntlich versucht, die Vernünftigkeit des moralisch Gebotenen selbst als ein mögliches Handlungsmotiv zu konzipieren, das er sich aber auch nur so denken konnte, daß es in eine übersinnliche Schicht der Persönlichkeit verweist, so daß diese in zwei Schichten auseinanderfällt. Wer ihm darin nicht zu folgen vermag, wird den Gedanken eines genuin moralischen Handelns entweder fallenlassen müssen, oder er muß sich von der Frage nach dem wahren Glück eine Antwort erhoffen, die die Moralität einschließt. Wenn man den Begriff Glück nicht mißversteht, ist das sogar zwingend. Es wäre ein Mißverständnis, das Streben nach Glück als Selbstsucht und insofern als von vornherein nicht-moralisch anzusehen. Sogar bei Kant findet sich eine Definition, wonach »Glückseligkeit [...] der Zustand eines vernünftigen Wesens« ist, »dem es im Ganzen seiner Existenz alles nach Wunsch und Willen geht«.[7] Der Wille ist aber nicht notwendig auf das Wohlergehen der eigenen Person gerichtet, vielmehr muß man umgekehrt sagen: Es geht mir dann wohl, wenn das, worauf mein Wille gerichtet ist, zur Erfüllung kommt; und welche Formel auch immer wir für Moralität wählen mögen – z. B. die Kantische, niemanden nur als Mittel, sondern immer zugleich als Zweck anzusehen –, so heißt das, daß dies, also etwa das Wohl der anderen, wenn es etwas von mir um seiner selbst willen Gewolltes ist, ein Bestandteil meiner Glückskonzeption ist. Dieser Satz erscheint mir zwingend, aber er ist natürlich nur ein Wenn-dann-Satz: *Wenn* jemand autonom moralisch handelt, dann nur, weil er das selbst will, und das heißt, weil das zu seinem Glück gehört. Hingegen ist es eben die Frage, erstens, wie unsere Glückskonzeption beschaffen sein muß, wenn sie Moralität mit einschließen soll, und zweitens, ob *nur* eine solche die Moralität einschließende Glückskonzeption eine wahre ist,

7 Kant, *Kritik der praktischen Vernunft*, in: Akademie-Ausgabe, Bd. 5, S. 124.

ob wir also (ein von Kant mit Spott überschütteter Gedanke)
nur dann – wie die Alten behaupten – wirklich glücklich
sind, wenn wir moralisch sind.

Es ist also die Moral selbst – und ich meine die moderne,
durch Kant hindurchgegangene Moralkonzeption –, die
sowohl was den Inhalt des moralisch Gebotenen betrifft als
auch hinsichtlich der Motivation zur Moral die Wiederauf-
nahme der antiken Frage nach dem wahrhaft Gewollten, den
wohlverstandenen Interessen, dem wirklichen Glück zu
einem philosophischen Bedürfnis werden läßt. Aber ich
meine nun: Ebenso wie die φρόνησις-Problematik können
wir auch die εὐδαιμονία-Problematik heute nur so wiederaufnehmen, daß wir sie in das moderne Problembewußtsein
einholen, und das heißt: nur so, daß wir dabei nicht hinter
die inzwischen erreichten Begründungsansprüche zurückfal-
len. Das bedeutet nicht einen Neo-Cartesianismus, als ob
nur darüber geredet werden dürfe, was sicher zu begründen
ist, und sonst zu schweigen wäre. Es geht nicht um Sicher-
heit der Begründung, sondern um Klarheit über die Art der
Begründungsmöglichkeit.

Wie also kann man – das ist die Frage, die ich Ihnen vorlegen
möchte – die Glücksproblematik auf der Ebene des heutigen
Methodenbewußtseins wiederaufnehmen? Dabei sollten wir
denjenigen Aspekt beiseitelassen, der zwar praktisch von
großer Relevanz und im einzelnen keineswegs trivial, aber
im Grundsätzlichen doch unproblematisch ist: die Frage,
welche Wege am besten einzuschlagen sind, um eine
bestimmte Glückskonzeption zu realisieren. Mein Problem
betrifft nicht die möglichen Irrtümer in den Mitteln, sondern die in den Zielen unseres Wollens. Es betrifft die Frage,
was es denn heißen kann, sich hinsichtlich der eigenen
wirklichen Interessen oder Bedürfnisse zu täuschen.

Die Unterscheidung zwischen wahren und falschen Bedürfnissen oder Interessen ist heute keineswegs unbekannt, sondern im Gegenteil sehr verbreitet, aber ich habe bisher
keinen Autor gefunden (das mag freilich einfach an meiner

Unbelesenheit liegen), der diese Unterscheidung im vollen Bewußtsein der methodischen Schwierigkeiten vornimmt und ein Kriterium für die Wahrheit von Interessen angibt, das der Kantischen Kritik standhält. Besonders verbreitet ist die Rede von falschen Bedürfnissen in gesellschaftskritischen Erörterungen wie z. B. in Marcuses *Onedimensional Man* (1964). So plausibel, ja unbestreitbar es ist, daß, was wir für unsere Interessen halten, abhängig ist von den jeweiligen Strukturen der Gesellschaft, so scheint mir doch, daß eine soziologische oder sozialphilosophische Zugangsweise kein Kriterium für die wahren Interessen ergeben kann; denn wie will man begründen, daß sich nur in einer Gesellschaft von der und der Art, z. B. einer partizipatorischen, nicht-hierarchischen Gesellschaft die wahren Interessen entwickeln können? Offenbar geht jede solche These von einem bestimmten Menschenbild aus, sie kann sich nur, wie bei Aristoteles, auf eine bestimmte Konzeption der richtigen Verfassung des freilich wesensmäßig sozial verstandenen Einzelnen gründen. Wir sehen uns also von der soziologischen auf die psychologische Ebene zurückverwiesen. Aber dann stellt sich auch hier die Frage, mit welchem Recht wir eine bestimmte psychische Verfassung als richtige oder natürliche hervorheben können. Die Frage ist, ob es ein Kriterium dafür gibt, daß es einer Person gut oder schlecht geht, das unabhängig von deren faktischem gegenwärtigen und künftigen Wohlbefinden ist und das der Kantischen Kritik am Vollkommenheitsbegriff nicht ausgesetzt ist.

Nun gibt es zweifellos *eine* Dimension des menschlichen Seins, für die wir ein solches objektives Kriterium haben, die der körperlichen Gesundheit und Krankheit. Für den Satz »Es geht ihm gut« haben wir einerseits subjektive Kriterien gemäß der vorhin zitierten Kantischen Glücksdefinition: es geht ihm gut, wenn seine Situation seinem Wunsch und Willen entspricht; aber mit gleichem Recht verwenden wir den Satz auch so, wie wir ihn auch bei Pflanzen verwenden können: es geht ihm gut, wenn er gesund ist. Dieses objektive Kriterium läßt sich nicht auf das subjektive Kriterium reduzieren, denn jemand kann krank sein, ohne es zu wissen. Wohl aber scheint mir die umgekehrte Beziehung zu gelten: Es wäre irrational, nicht gesund sein zu wollen, in derselben Weise irrational, wie man man grundlos Schmerzen leiden wollte. Allerdings ist mir bei diesem Satz nicht ganz wohl, hier wäre noch eine Lücke zu stopfen. Es scheint aber einzuleuchten, daß wir in der Gesundheit ein objektives, vom Willen unabhängiges und doch für ihn aus seiner eigenen Perspektive maßgebendes Kriterium des Wohls haben. Deshalb war es wohlbegründet, daß sich die Griechen bei der Frage nach dem Glück am Begriff der Gesundheit orientiert haben und auch am Begriff der Funktion, dem ἔργον, denn Kranksein heißt Beeinträchtigtsein der Funktionsfähigkeit.

Die große Frage ist nun, ob und wie wir den Griechen heute auch darin noch folgen können, diesen Begriff der Gesundheit bzw. Funktionsfähigkeit auch auf die seelische Verfassung auszudehnen. Ist die Rede von seelischer Gesundheit und Klarheit nur eine Metapher, oder läßt sich ihr ein klarer Sinn geben? Diese Frage ist in neuerer Zeit besonders dringlich geworden, da es heute eine Heilkunde gibt, die auf einen Begriff von seelischer Gesundheit angewiesen ist, die Psychoanalyse; freilich ist man sich in der psychoanalytischen Literatur zu dieser Frage der Gefahr zunehmend bewußt geworden, daß jede inhaltliche Fixierung dessen, was man unter seelischer Gesundheit zu verstehen hat, von einer bestimmten normativen Idee, von einem bestimmten Menschenbild abhängen könnte, das uns sofort wieder in jenen Zirkel verstricken würde, auf den Kant in seiner Kritik des Vollkommenheitsbegriffs hingewiesen hat.

Wir brauchen also einen formalen Begriff von psychischer Gesundheit. Was ich damit meine, kann ich erklären, indem ich noch einmal auf die griechische Konzeption Bezug nehme. Für die griechische Medizin bestand Gesundheit in Harmonie, Ausgewogenheit, richtiger Mischung gegensätz-

licher körperlicher Kräfte, und so lag es für Platon und
Aristoteles nahe, auch die seelische Gesundheit als Ausgewogenheit zu verstehen. Läßt sich daran heute anknüpfen?
Man hat das versucht. So entwickelt Erich Fromm in seinem
Buch *Man for himself* (1947) in bewußter Anknüpfung an
die aristotelische Tradition auf psychoanalytischer Basis eine
Konzeption, derzufolge psychische Gesundheit – sehr ver-
kürzt gesagt – in der Ausgewogenheit zwischen Selbständig-
keit in sich und Angewiesenheit auf andere besteht. Die
moderne Orientierung an der Subjekt-Objekt-Beziehung
bzw. Intersubjektivität ermöglicht es Fromm (wie auch
schon Hegel und Kierkegaard), dem Begriff der Ausgewogenheit oder Synthese von Gegensätzen einen bestimmteren
Sinn zu geben als Aristoteles, bei dem er leicht als Leerfor-
mel erscheinen kann. So plausibel ich Fromms Konzeption
finde, ist doch auch sie, so wie sie dasteht, der Kantischen
Kritik ausgesetzt.[8] Fromm hat hier ebenso wie die Griechen
eine begriffliche Unterscheidung versäumt. Sagt man nämlich, Gesundheit – ob körperliche oder seelische – bestehe in
Ausgewogenheit, so bleibt unklar, ob das eine Definition
von Gesundheit sein soll oder ob der empirische Satz
gemeint ist, daß Gesundheit *bewirkt* wird durch eine so und
so beschaffene Ausgewogenheit. Ich meine, es ist klar, daß
nur das letztere der Fall sein kann, daß der Satz also den
Status einer kausalen Hypothese hat. Das aber setzt voraus,
daß wir über ein von dieser Bestimmung unabhängiges
Kriterium für Gesundheit und Krankheit verfügen. Das ist
bei der physischen Krankheit auch gegeben. Krankheit ist
Beeinträchtigung in der Funktionsfähigkeit. Jetzt wird klar,
was sowohl bei den Griechen wie bei Fromm fehlt: Wir
brauchen einen formalen Begriff für psychische Gesundheit,
derart, daß es genauso evident wie bei der physischen
Gesundheit ist zu sagen, es wäre irrational, nicht gesund sein

8 Hier und im folgenden bin ich Gertrud Nunner-Winkler verpflichtet. Ihr
verdanke ich auch den Hinweis auf den Aufsatz von Kubie.

zu wollen, und das wäre dann ein Begriff, der der Kantischen Kritik nicht mehr ausgesetzt ist. Von der Ausgewogenheit, wie immer sie näher bestimmt werden mag, ist es natürlich ebenso wie von jeder anderen inhaltlichen Konzeption keineswegs evident, daß sie unmittelbar ein notwendiger Gegenstand unseres Willens ist, aber sie würde per consequentiam ein notwendiger Gegenstand unseres Willens sein, wenn es empirisch richtig ist, daß sie eine kausal notwendige Bedingung von psychischer Gesundheit ist.

Die Frage ist also: Gibt es einen dem Begriff der physischen Krankheit entsprechenden Begriff von Beeinträchtigung der psychischen Funktionsfähigkeit? Ich meine, daß ein solcher Begriff in der psychoanalytischen Literatur zu finden ist, allerdings meist vermischt mit anderen inhaltlichen Bestimmungen, aber scharf für sich herausgearbeitet in einem Aufsatz von Lawrence Kubie, der sich genau diese Aufgabe stellt, ein eindeutiges und generelles Kriterium für krankhaftes Verhalten zu finden. Nach Kubie ist es das allgemeine Charakteristikum von krankhaftem Verhalten, daß es zwanghaft ist, sich automatisch wiederholend »ohne Rücksicht auf die Situation, den Nutzen oder die Folgen der Handlung«, im Gegensatz zu normalem oder gesundem Verhalten, das flexibel, willentlich kontrolliert ist.[9] Auch das zwanghafte Verhalten ist natürlich in einem gewissen Sinn gewollt, aber es ist für solches Verhalten charakteristisch, daß die Person so handeln muß, ob sie will oder nicht. Solches Handeln ist einer Überlegung nicht zugänglich, von Überlegung nicht beeinflußbar und insofern unfrei, nicht von mir selbst gewählt, nicht autonom. Dieser Autonomiebegriff ist natürlich formaler und schwächer als der Kantische: Er betrifft nicht eine Autonomie der Vernunft, sondern die Autonomie der ganzen Person, und das

9 Lawrence S. Kubie, »The Fundamental Nature of the Distinction between Normality and Neurosis«, in: *The Psychoanalytic Quarterly* 23 (1954) S. 167–204; wiederabgedr. in: L. S. K., *Symbol and Neurosis. Selected Papers*, ed. by Herbert J. Schlesinger, New York 1978. Vgl. dort bes. S. 142; 161.

heißt die Autonomie des durchaus sinnlich bestimmten Wollens, das vernünftig nur ist im Sinn von überlegungsfähig. Damit wäre ein formaler Begriff von psychischer Krankheit gewonnen, der nicht nur für eine Beeinträchtigung der psychischen Funktionsfähigkeit im allgemeinen steht, sondern genauer, für die Beeinträchtigung der Funktionsfähigkeit des Wollens. Dadurch wäre aber genau das erreicht, was gesucht war, ein von den jeweiligen subjektiven Zielen unseres Wollens unabhängiger und doch aus der Perspektive des Wollens selbst maßgebender Gesichtspunkt. Als Wollende im Sinn von frei Wählenden wollen wir allemal in unserem freien Wählen nicht eingeschränkt sein. Das Ausmaß der Zwanghaftigkeit unseres Wollens ist uns normalerweise nicht bewußt; in dem Maße aber, in dem uns Zwanghaftigkeit bewußt wird, wäre es irrational, sie zu wollen, ebenso wie es irrational ist, physisch krank sein zu wollen, ja der Zusammenhang ist hier noch enger, denn Krankseinwollen ist nur an sich nicht wünschenswert; wir können gleichwohl gute Gründe haben, krank sein zu wollen als Mittel für andere Zwecke, nicht hingegen dafür, nicht frei wählen zu können.[10]

Für die Frage nach dem wahren Glück folgt dann, daß (wie uns schon die Existenzphilosophie gelehrt hat) nur das etwas wahrhaft Gewolltes ist, was ich wirklich will in dem Sinn, daß ich es frei wähle. Die Rede von wahren Bedürfnissen oder wohlverstandenen Interessen erweist sich als mißverständlich, weil sie den Anschein erweckt, es gebe diese wahren Objekte unseres Wollens irgendwo an sich, und sie müßten nur freigelegt werden; die Frage nach dem wahrhaft Gewollten betrifft nicht die Ziele unseres Wollens, sondern das Wie des Wollens. Das Wort »wahrhaft« ist hier ein

---

10 Es würde sich daher auch nahelegen, den einheitlichen Begriff des menschlichen Krankseins nicht vom Physischen, sondern vom Psychischen her zu denken. Auch das physische Kranksein ist eine wenn auch periphere Einschränkung des freien Über-sich-verfügen-Könnens. Das Über-sich-verfügen-Können wäre nun der Grundbegriff, nicht die Funktionsfähigkeit.

Adverb, nicht ein Adjektiv. Freilich wäre nun empirisch zu klären, ob nicht, wenn man auf eine nicht-zwanghafte Weise will, der so verfaßte Wille sich auf bestimmte Ziele gar nicht mehr richten kann, und erst auf diesem Wege wäre eine inhaltliche Betrachtungsweise wie die von Fromm zu begründen und auch die Rede von wahren Bedürfnissen.

Wir können die Frage nach dem wahren Glück nicht von uns, und das heißt immer: von unserem Wollen weg an eine objektive Instanz delegieren, und sei es eine in uns selbst. Ich meine also, daß die antike Frage nach dem wahren Glück heute nicht obsolet geworden ist, aber nur eine formale Antwort finden kann, formal in einem ähnlichen Sinn wie die Antwort, die die Frage nach der Moral bei Kant gefunden hat. Wie nun mit Bezug auf die Kantisch verstandene Moral nach meiner Meinung gezeigt werden müßte, daß und wie die Formalität des Prinzips nicht die Erfahrungsabhängigkeit und Situationsbezogenheit der in diesem Prinzip begründeten Normen ausschließt,[11] so scheint mir auch die formale Antwort auf die Frage nach dem wahren Glück nur den notwendigen Ausgangspunkt darzustellen, und jetzt wäre zu fragen, erstens, welches die psychischen Bedingungen und die möglichen inhaltlichen Ziele solchen Wollens sind, und zweitens, welches die gesellschaftlichen Bedingungen für diese psychischen Bedingungen sind. Und dabei wäre es verlockend zu prüfen, welche der inhaltlichen Vorstellungen der Aristotelischen Antwort auf die Frage nach dem guten Leben von diesem formalen Ansatz aus zu vindizieren wären.

(1980)

---

11 Vgl. dazu meinen Vortrag »Kann man aus der Erfahrung moralisch lernen?« (in der vorliegenden Ausgabe S. 87–108).

Drei Vorlesungen über Probleme der Ethik

Vorbemerkung

Der Titel dieser Vorlesungen könnte den Eindruck erwekken, daß ich über verschiedene, mehr oder weniger lose zusammenhängende Probleme der Ethik sprechen möchte. Das ist jedoch nicht meine Absicht. Die drei Vorlesungen beziehen sich auf eine einzige Frage, die nach der Begründbarkeit unserer moralischen Urteile. Von Problemen, und dies im Plural, spreche ich nur, weil sich diese Frage für mich in mehrere Teilfragen gliedert und weil meine Überlegungen nicht den Anspruch einer Theorie erheben, sondern einen durchaus vorläufigen, problematischen Charakter haben.

Bei allen anderen Arten von Urteilen, den wissenschaftlichen z. B. oder den ästhetischen, kann das Problem ihrer Begründung als eine rein akademische Angelegenheit angesehen werden. Nur mit Bezug auf die Moral ist das Begründungsproblem eine Notwendigkeit des konkreten Lebens. Deswegen markierte auch historisch in der Sophistik und bei Sokrates die Moral die Stelle, an der die philosophische Reflexion (sofern diese sich als λόγον διδόναι, als Rechenschaftsgabe versteht) im konkreten Leben entstanden ist. Die Frage nach der Begründung der moralischen Urteile war unausweichlich und wird immer erneut unausweichlich in dem historischen Moment, in dem die moralischen Überzeugungen einer Gesellschaft ihre vorgegebene, religiöstraditionelle Begründung verlieren und auf einmal als historisch relativ wahrgenommen werden.

Warum in solchen Zeiten die Begründungsfrage unausweichlich wird, läßt sich nicht angemessen kennzeichnen, solange man die moralische Grundfrage so versteht, wie sie seit Kant häufig formuliert wird, nämlich in der 1. Person Singular als die Frage »Was soll ich tun?«. Der Einzelne kann natürlich unter der Ungewißheit, was er tun soll, leiden, aber das kann er auch mit Bezug auf die Ungewißheit z. B. seiner religiösen Überzeugungen oder den Mangel solcher Überzeugungen. Was hingegen unter den Bedingungen historischer Relativität nicht nur eine Möglichkeit, sondern eine Notwendigkeit ist, ist die Begründung der eigenen moralischen Urteile gegenüber den anderen, einfach weil Moral in gegenseitigen Forderungen zu bestimmten Handlungen und Unterlassungen besteht. Sobald unsere moralischen Überzeugungen divergieren, stehen wir vor der Tatsache, daß wir von anderen fordern, daß sie ihre Freiheit in einer Weise einschränken, die ihnen nicht selbstverständlich erscheint; daher sehen wir uns dann zwangsläufig durch sie, wenn sie sich uns nicht einfach unterwerfen, vor die Frage gestellt, diese Forderungen zu begründen. Sind gemeinsame moralische Überzeugungen nicht vorgegeben, ist die Alternative zur Begründung Gewalt. Wenn man hingegen in Fragen der Wissenschaft, der Religion, des Geschmacks oder der privaten Lebensführung auf gemeinsamen Überzeugungen insistiert, so heißt das, daß man diese Fragen zu moralischen Fragen macht, und das kann man, muß es aber nicht (und es ist natürlich eine moralische Frage, ob man es darf). Es ist nun diese Tatsache: daß das Bedürfnis zur Begründung moralischer Überzeugungen ein intersubjektives ist, und dies, weil die Moral in intersubjektiven Forderungen besteht, die die Idee nahelegt, daß die Begründung moralischer Urteile ihrerseits eine intersubjektive Struktur haben könnte. Es ist nicht von vornherein klar, was das überhaupt heißen kann, daß die Begründung einer Art Urteile strukturell intersubjektiv sein soll; aber eben deswegen werde ich die 3. Vorlesung dieser Frage widmen.

Ist die Begründung moralischer Urteile wesensmäßig etwas, was sich zwischen verschiedenen (einzelnen oder kollektiven) Subjekten abspielt, so ist ein Aspekt dieses Problems der Umstand, daß die verschiedenen Subjekte verschiedene moralische Überzeugungen auf Grund der verschiedenen historischen Bedingungen ihres Lebens haben, wobei ich »historische Bedingungen« in einem weiten Sinn meine, der sich nicht nur auf die Geschichte im großen bezieht, sondern auch auf die Biographien der Individuen. Ein moralischer Begründungsdialog zwischen verschiedenen Subjekten ist ein Dialog, der von verschiedenen historischen Standpunkten aus geführt wird. Die übliche Auffassung ist, daß die Überzeugung von der historischen Relativität von moralischen Urteilen und die Überzeugung von ihrer Begründbarkeit sich widersprechen. Demgegenüber will ich in der 2. Vorlesung der Frage nachgehen, ob und wie der Reflexion auf die historischen Bedingungen der eigenen moralischen Überzeugungen eine positive Funktion für die Begründung moralischer Urteile zukommen kann. Ich möchte sehen, wie weit man bei dieser Frage unter Ausklammerung des Problems der Kommunikation kommen kann, und werde dann in der 3. Vorlesung auf einer höheren Stufe noch einmal auf sie zurückkommen.

Die Absicht der 1. Vorlesung ist die vorgängige Klärung des Begriffs der Moral (oder eines Begriffs der Moral) und der Frage, was unter der Begründung moralischer Urteile überhaupt verstanden werden kann.

1. Der semantische Zugang zur Moral

Einen Begriff ausgrenzen heißt, das Verstehen bestimmter sprachlicher Ausdrücke ausgrenzen. Unsere erste Aufgabe ist also eine Analyse der Bedeutung moralischer Sätze. Eine solche semantische Zugangsweise, wie sie in der englischen und amerikanischen Moralphilosophie der fünfziger und sechziger Jahre vorherrschte, scheint heute aus der Mode gekommen zu sein. So hat z. B. nach Rawls, um nur den prominentesten Autor zu nennen, die semantische Zugangsweise von der substantiellen Problematik der Moralphilosophie abgeführt. Soll es sich wirklich nur um eine Mode gehandelt haben? Das können wir natürlich nur entscheiden, indem wir die Argumente prüfen. Es kommt darauf an, sich grundsätzlich darüber klar zu werden, was für oder gegen einen semantischen Ansatz spricht, welchen Stellenwert ein solcher Ansatz hat und wie weit er reicht.

Auf den ersten Blick muß die Idee einer semantischen Zugangsweise zur Moralphilosophie jedem Unbefangenen absurd erscheinen. »Sie können doch nicht«, so wird einem entgegengehalten, »im Ernst glauben, daß durch eine Analyse, wie man über Gutes und Schlechtes *redet*, ein Kriterium darüber zu gewinnen ist, was gut und schlecht *ist*. Wäre das nicht ebenso absurd, wie wenn man behaupten wollte, man könne in den empirischen Wissenschaften durch eine bloße Analyse, wie wir reden, darüber entscheiden, was wahr und falsch ist?« »Aber was ist dann«, so würde ich zurückfragen, »Ihrer Meinung nach das Kriterium, nach dem zu entscheiden ist, wie gehandelt werden soll und wie nicht?« Mein Gesprächspartner könnte nun eine der bekannten Antworten geben: das Kriterium sei das göttliche Gebot oder das moralische Gefühl des Einzelnen oder der Gemeinschaft oder das für die Gesellschaft Nützliche oder die praktische Vernunft usw., oder er könnte mehrere von diesen Antworten auf die eine oder andere Art verbinden, oder er könnte sie alle verwerfen und eine relativistische oder skeptische Position beziehen. Wie immer er antwortet, kann ich nun die Gegenfrage stellen, wie er denn seine Auffassung begründen will.

Läßt er sich auf diese Frage ein (und ich sehe nicht, wie er das vermeiden wollte), so würde damit das Gespräch auf eine zweite Ebene übergehen. Auf der ersten Ebene ging es um das Kriterium, nach dem wir unsere moralischen Überzeugungen begründen; jetzt hingegen ginge es um die Frage, wie wir das Begründungskriterium seinerseits begründen. Es wäre irrig zu meinen, daß die Begründungsfrage damit einfach iteriert würde, so daß wir befürchten müßten, in einen Regreß zu geraten. Es handelt sich vielmehr um genau zwei Ebenen. Man kann sich das leicht klarmachen an Hand des in dieser Hinsicht vergleichbaren, aber durchsichtigeren Falles der empirischen Sätze, auf die sich mein Gesprächspartner schon selbst bezogen hat. Für einen empirischen Satz gilt, daß sein Begründungskriterium letztlich die Erfahrung ist, und wenn wir nun, auf der zweiten Ebene, nach der Begründung dieses Begründungskriteriums fragen, ergibt sich, daß es in der Bedeutung eines empirischen Satzes gründet.

Was kann man an Hand dieses Beispiels der empirischen Sätze für unser Problem lernen? Ich meine, es zeigt uns, daß mein Gesprächspartner ganz recht hatte mit seiner Behauptung, daß wir das Begründungskriterium empirischer Sätze nicht in der Sprache, sondern in der Erfahrung zu suchen haben, aber diese Behauptung läßt sich ihrerseits nur begründen durch eine semantische Analyse der entsprechenden Sätze.

Ist es unvermeidlich, diese zweite Ebene als semantische Analyse aufzufassen? Ich meine: ja. Denn das Material, mit dem wir es in der philosophischen Reflexion zu tun haben, ob sie sich nun auf die Wissenschaft oder die Moral oder die Ästhetik oder den religiösen Glauben bezieht, besteht nun einmal aus sprachlichen Ausdrücken, und der erste Schritt kann in nichts anderem bestehen als darin, aufzuklären, was wir mit dem jeweiligen Typus sprachlicher Ausdrücke meinen; und wenn es sich um die Frage handelt, wie ein bestimmter Typus von Sätzen zu begründen ist oder ob er gar nicht zu begründen ist, sehen wir uns ebenfalls auf die semantische Struktur dieser Sätze verwiesen. Philosophische Analyse ist schon immer als begriffliche Analyse aufgefaßt worden. Die semantische Zugangsweise steht in dieser Tradition und unterscheidet sich von der älteren Tradition nur durch die Auffassung, die ich für wohlbegründet halte, daß Begriffe nicht in einer intellektuellen Anschauung zu finden sind, sondern nur in der Verwendungsweise unserer sprachlichen Ausdrücke.

Es handelt sich also nicht um eine Mode, sondern um eine Methode, zu der es, soweit ich sehe, keine Alternative gibt. Wie ist es dann aber zu verstehen, daß ein zeitgenössischer Moralphilosoph von Rawls' Format die semantische Methode verwerfen konnte? Die einzig mögliche Erklärung, wenn meine Überlegungen richtig waren, ist, daß Rawls auf der ersten Ebene geblieben ist. Und das ist auch tatsächlich der Fall. Rawls setzt in seiner Konstruktion des »Urzustandes« voraus, daß das Kriterium von Moralität Unparteilichkeit ist, und dieses Kriterium wird nicht seinerseits begründet. Der Grund, warum Rawls es sich leisten konnte, ein solches Kriterium einfach vorauszusetzen, ist, daß er mit dem Problem, wie man seine moralischen Überzeugungen begründen kann, gar nicht befaßt war. Die Aufgabe, die er sich vorgenommen hatte, bestand darin, Prinzipien zu finden, die übereinstimmen mit unseren, letztlich natürlich seinen eigenen »wohlüberlegten« moralischen Überzeugungen. Man sollte eine solche Konzeption einer Theorie der Gerechtigkeit nicht geringschätzen; man kann vielleicht auch von der Ethik des Aristoteles sagen, daß sie lediglich eine solche rekonstruktive Absicht hatte. Aber es ist doch jedenfalls klar, daß eine solche Theorie auf etwas anderes (und man kann sagen: auf etwas weniger Grundsätzliches) abzielt als eine Konzeption von Moralphilosophie im Sinn einer Untersuchung darüber, wie man moralische Urteile begründen kann. Infolgedessen besagt der Umstand, daß für eine solche Theorie eine semantische Analyse unwichtig ist, nichts gegen die Notwendigkeit so einer Analyse für die Frage der Begründbarkeit.

Wie sollen wir nun mit der semantischen Analyse der relevanten Wörter oder Sätze beginnen? Angesichts dieser Frage stoßen wir auf einen zweiten Grund, warum die semantische Zugangsweise bei neueren Moralphilosophen in Mißkredit geraten ist. Es ist nämlich nicht so klar, wie es den klassischen Repräsentanten der sprachanalytischen Moralphilosophie, insbesondere z. B. Richard Hare, schien, daß es ein

oder zwei Standardausdrücke gibt, die wir in moralischen
Urteilen verwenden. Hare gründete seine Analyse der moralischen Urteile auf eine allgemeine Analyse der Bedeutung
des Wortes »gut«. Andere Philosophen, an erster Stelle v.
Wright in seinem Buch *The Varieties of Goodness* (1965),
haben darauf insistiert, daß das Wort »gut« in verschiedenen Kontexten verschiedene Bedeutungen hat. Wenn das
stimmt, kann eine allgemeine Analyse der Wörter »gut« und
»schlecht« wenig beitragen zu einer Klärung der besonderen
Bedeutung, die sie haben, wenn wir sie im moralischen
Kontext verwenden. Man kann gewiß sagen, daß alle einfachen Aussagen, in denen das Wort »gut« vorkommt, Wertaussagen sind, aber natürlich wird mit einer solchen Erklärung das Problem nur um einen Schritt verschoben, da man
zweifeln kann, ob es nicht ebensoviele Arten von Wertaussagen gibt wie es Bedeutungen des Wortes »gut« gibt. Für
einige Arten von Wertaussagen mag es eine Art von Begründung geben, für andere eine andere und für wieder andere
gar keine.

Aber die Kritik kann noch weitergeführt werden. Habermas
z. B. glaubt, daß moralische Überzeugungen überhaupt
nicht in Wertaussagen zum Ausdruck kommen. Moral ist
nach Habermas nicht eine Sache von evaluativen, sondern
von normativen Sätzen. Nicht das Wort »gut« ist für moralische Sätze charakteristisch, sondern das Wort »sollen«.
Hare seinerseits teilt die positive Seite dieser Auffassung,
aber nicht die negative. Nach Hare lassen sich einfache
Sätze, in denen das Wort »gut« vorkommt, und einfache
Sätze, in denen das Wort »sollen« vorkommt, ineinander
übersetzen.[1] Ich glaube, daß sich sowohl Hare wie Habermas irren. Gegen Habermas meine ich, daß es kein Zufall
ist, daß lange vor der analytischen Ethik die gesamte Tradition der Moralphilosophie an beiden Wörtern orientiert

---

1 Vgl. R[ichard] M[ervyn] Hare, *The Language of Morals*, Oxford 1952,
Kap. 12.

war, »gut« und »sollen«. Und gegen Hare scheint es mir klar, daß, wenn auch die meisten Wertsätze in normative Sätze übersetzt werden können, das Gegenteil nicht gilt. Spielregeln z. B. oder Rechtsnormen können nicht in Wertsätze übersetzt werden. Das scheint zu zeigen, daß normative Aussagen noch verschiedenartiger sind als Wertaussagen. So läßt sich also eine ähnliche Kritik gegen die Orientierung der Klärung des Moralbegriffs an einer allgemeinen Analyse des Wortes »sollen« ins Feld führen wie gegen die Orientierung an einer allgemeinen Analyse des Wortes »gut«.

Es könnte verlockend erscheinen, diese Linie der Kritik noch einen Schritt weiterzuführen. Wenn uns weder das Wort »gut« noch das Wort »sollen« zu einer Klärung dessen, was wir mit Moral meinen, führt, folgt dann nicht, so könnte man fragen, daß der ganze semantische Ansatz – die Idee, daß die Bedeutung moralischer Urteile durch eine semantische Analyse gewisser Ausdrücke zu klären sei – eben doch irrig war? Aber dieser weitere Schritt scheint mir unbegründet und sogar widersinnig. Die Konsequenz wäre, daß man den Begriff der Moral selbst aufgeben oder wenigstens ungeklärt lassen müßte. Es gibt keine Möglichkeit, einen Begriff zu umgrenzen, außer durch die Verwendung sprachlicher Ausdrücke. Es ist zwar richtig, daß man die Sätze, in denen moralische Urteile zum Ausdruck kommen, nicht durch das Vorkommen bestimmter Wörter wie »gut« oder »sollen« definieren kann. Aber was für eine semantische Analyse zählt, ist nicht das Wort, sondern die Verwendung.

Die Konsequenz, die wir zu ziehen haben, ist also nicht, daß der semantische Ansatz zu verwerfen ist, sondern erstens, daß er verfeinert werden muß, und zweitens, daß ein gewisses Maß an Willkür bei einer solchen begrifflichen Klärung unvermeidlich ist. Auf die Frage, was das Kriterium moralischer Urteile ist, gibt es nicht eine einzige mögliche Antwort. Die Frage ist nicht: »Was ist Moral?«, sondern: »Was meinen wir mit ›moralisch‹?« Moral ist nicht etwas, was es irgendwo objektiv gibt. Und da unser vorphilosophisches Verständnis von »moralisch« wesentlich vage ist, keine festumrissenen Konturen hat, ist es unvermeidlich, daß es immer einige Aspekte unseres verschwommenen vorphilosophischen Verstehens von »Moral« geben wird, die jeder philosophische Begriff auf die eine oder andere Weise verfehlen muß. Philosophieren besteht im Ziehen von Linien, in Grenzziehungen. Die Linie kann so oder so gezogen werden. Indem wir sie auf eine bestimmte Art ziehen, stellen wir manche Dinge ausdrücklicher zusammen und trennen sie ausdrücklicher von anderen, als sie es bisher waren. Wittgenstein hat dieses Vorgehen in seinem *Blauen Buch* mit dem Ordnen der Bücher einer Bibliothek verglichen. Keine Ordnung ist *die* richtige Ordnung. Aber wir müssen irgendeine Ordnung in die Dinge unseres Verstehens bringen, wenn wir bestimmte Aussagen über sie machen wollen. Wir können dann eine Ordnung mit einer anderen vergleichen und sehen, was die Konsequenzen und was die Vor- und Nachteile sind.

Wir haben es bei unserer semantischen Frage insbesondere mit drei Wörtern zu tun: erstens mit dem Wort »moralisch« selbst und zweitens mit bestimmten Verwendungsweisen der Wörter »gut« und »sollen«, auf die dieses Wort zu verweisen scheint. Auch die faktische Verwendungsweise des Wortes »moralisch« kann nicht unser letzter Maßstab sein. Die Wörter »moralisch« und »Moral« sind sowohl synchronisch wie vor allem diachronisch vieldeutig, und es gab Zeiten, wo es sie überhaupt nicht gab, und trotzdem würden wir nicht sagen wollen, daß es damals das, was wir heute mit einem bestimmten Sinn dieses Wortes meinen, nicht gab. Worauf es bei der philosophischen Begriffsfixierung ankommt, ist nicht das Nachzeichnen der faktischen Verwendungsweise eines Wortes, sondern das Treffen bestimmter Unterscheidungen, die, soweit wir sehen können, anthropologisch (und das heißt hier genauer: soziologisch, im intersubjektiven Zusammenleben) fundamental sind, auch wenn sie sich im Verlauf der Geschichte in verschiedenen Wörtern artikuliert haben. Unsere Begriffs- umgrenzung von »Moral« muß weit genug sein, daß ein historischer Dialog über moralische Fragen über die Zeiten hinweg möglich bleibt und daß nicht inhaltliche Fragen darüber, welche moralischen Normen richtig sind, durch eine solche Definition vorentschieden werden. Sie muß schließlich auch so weit sein, daß verständlich werden kann, warum vergleichbare Unterscheidungen in verschiedenen Zeiten anders artikuliert wurden.

Wir stehen also vor einem komplexen Unternehmen. Und es ist dadurch noch zusätzlich kompliziert, daß wir auch inner- halb der philosophischen Tradition nicht bei Null anfangen können. Wir müssen daher sowohl die Frage prüfen, ob es sich bei moralischen Überzeugungen um eine Art Werturtei- le handelt, als auch die Frage, ob es sich um Überzeugun- gen über eine Art Normen handelt, die nicht in Werturteile übersetzbar sind.

Beginnen wir mit den Werturteilen, also mit dem Wort »gut«! Überlegen wir zuerst, wie das Wort in eindeutig außer-moralischen Kontexten verwendet wird! Das Wort kommt selten als einfaches Prädikat vor, dergestalt, daß wir von etwas schlichtweg sagen, es sei gut oder schlecht. Gewöhnlich wird das Wort in bestimmter Weise qualifi- ziert. Hier gibt es verschiedene Möglichkeiten.

Eine ist die, die man die hypothetische Verwendungsweise nennen kann: »*Wenn* du abnehmen willst«, oder: »*Um* abzunehmen, ist es gut, weniger zu essen.« Hier handelt es sich um die bekannte Rede von guten Mitteln für einen vorgegebenen Zweck.

Eine zweite Verwendung ist die, in der wir sagen, etwas sei gut für etwas oder für jemanden: »Heiraten wird ihm gut tun«, »Etwas Dünger würde für die Blumen gut sein«. In dieser zweiten Verwendung, die ausgiebig von v. Wright erörtert wird, bedeutet »gut« soviel wie »zuträglich«,

»schlecht« soviel wie »schädlich«. Diese Verwendung des Wortes »gut« hängt wesentlich zusammen mit der adverbiellen Verwendung von »gut«, derzufolge wir von einem Wesen sagen, daß es *ihm gut geht*. Zuträglich ist, was nicht einen beliebigen Zweck von jemandem, sondern sein Wohlergehen fördert.

Eine dritte Verwendung des Wortes ist seine Verwendung als attributives Adjektiv, wenn wir z. B. von einem guten Messer, einem guten Fußballspieler, einem guten Wein, einem guten Musikstück sprechen. Die Beispiele zeigen, daß das keine einheitliche Klasse ist. Für meine Zwecke ist es nicht erforderlich, die Unterklassen genauer zu erörtern. Die wichtigsten sind die, wo es sich um den Grad des Geeignetseins von etwas handelt in der Ausführung seiner charakteristischen Funktion (wie beim guten Messer und beim guten Fußballspieler), und die, die man als die ästhetische Verwendung bezeichnen kann (wie beim guten Wein und beim guten Musikstück).

Wie weit kommt man nun bei diesen drei Fällen mit einer allgemeinen Erklärung des Wortes »gut«? In allen Fällen scheint »gut« auf eine Wahl und ein Vorziehen zu verweisen. Der Komparativ »besser« scheint gegenüber dem positiven Adjektiv »gut« Priorität zu haben. Das ist ähnlich wie bei solchen Adjektiven wie »lang« und »warm«. Immer handelt es sich darum, daß wir Dinge auf einer Skala anordnen. Etwas ist länger als etwas anderes, wenn es auf der Skala der Länge höher oben ist, und etwas ist besser als etwas anderes, wenn es auf der Skala des Vorziehens höher ist, und es ist gut, wenn es ziemlich hoch oben auf dieser Skala ist oder höher als der Durchschnitt.

Man muß nun Wörter des subjektiven und des objektiven Vorziehens unterscheiden. Wenn ich sage »Dieses Messer gefällt mir (gut)«, drücke ich ein subjektives Vorziehen aus. Charakteristisch für subjektive Vorzugsausdrücke ist, daß ein Subjekt, das vorzieht, genannt werden muß. Wenn wir hingegen sagen »Dieses Messer ist gut« oder »besser als jenes«, kommt kein Subjekt des Vorziehens vor. Der Vorzugscharakter scheint dem Objekt als solchem zuzukommen. Wie ist das zu verstehen? Wodurch konstituiert sich eine objektive Vorzugscharakteristik? Ein Vorzug ist objektiv, wenn es nicht das Gefühl einer Person ist, das über den Vorzug entscheidet, sondern das Ding selbst gleichsam von sich aus zu fordern scheint, daß es bevorzugt wird, der Vorzug daher für alle Personen gleichermaßen beansprucht wird. In den meisten Fällen nimmt das die Form an, daß der Vorzug begründet werden kann. Durch die Gründe wird die Wertaussage und damit der Vorzug ausgewiesen. Nur bei ästhetischen Wertaussagen scheint das nicht zu passen, und diese Aussagen scheinen auch nahe an einen subjektiven Vorzugssatz heranzureichen. Glücklicherweise muß ich auf diese Schwierigkeit im jetzigen Kontext nicht näher eingehen.[2]

Worauf es ankommt, ist, daß sich eine Kernbedeutung des Wortes »gut« herauszustellen scheint, die es nicht in allen, aber doch in vielen seiner verschiedenen Verwendungsweisen hat. Zufolge dieser Kernbedeutung nennen wir etwas dann gut, wenn wir meinen, daß wir begründen können, daß es vorzuziehen sei. Dieser Kernbedeutung entspricht dann auch immer eine Art Sollsatz, und das heißt eine Norm. »Dieses Messer ist besser als jenes« impliziert »Man sollte es vorziehen«. Es ist natürlich von größter Wichtigkeit, sich immer gleich klarzumachen, was genau mit »sollen« gemeint ist. Im gegenwärtigen Fall scheint damit gemeint zu sein: »Man wird es vorziehen, wenn man vernünftig wählen will; es wäre irrational, es nicht vorzuziehen.« Diese Erklärung scheint mir auf alle von mir genannten Verwendungsweisen außer der ästhetischen zuzutreffen. In dem Fall, in dem »gut« attributiv verwendet und dies funktional verstanden wird, meinen wir mit »gut«: wenn man etwas aus dieser Klasse wählen will, z. B. ein Messer,

2 Vgl. Ernst Tugendhat, *Selbstbewußtsein und Selbstbestimmung*, S. 275.

wäre es unvernünftig, nicht dieses zu wählen. In der hypothetischen Verwendungsweise sagen wir explizit: Wenn man X erreichen will, ist es gut, d. h. man soll, d. h. es ist vernünftig, Y zu wählen. Ähnlich ist es, wenn etwas als gut für jemanden beurteilt wird. Es wird dann unterstellt, daß es für diese Person unvernünftig wäre, es nicht zu wählen. In allen diesen Fällen wird mit der Verwendung des Wortes »gut« der Anspruch erhoben, daß es Gründe für den Vorzug gibt. Ich kann im jetzigen Kontext die Frage offenlassen, worin die Begründung in jedem der verschiedenen Fälle besteht und wie weit sie reicht, und ich will daher nur dogmatisch sagen, daß ich glaube, erstens, daß die Begründung in keinem Fall vollständig ist, daß immer ein subjektiver Rest bleibt, und zweitens, daß sich die Begründung, so weit sie reicht, auf empirische Aussagen reduzieren läßt.

Festzuhalten ist, daß jeder solche Wertsatz, bei dem die Wertung einen Begründungsanspruch erhebt, in einen normativen Satz, einen entsprechenden Sollsatz, übersetzbar ist. Eine solche Norm kann man, um sie von anderen Normen zu unterscheiden, auf die ich noch gleich zu sprechen komme, als Vernunftnorm bezeichnen, weil sie den beschriebenen Sinn hat »Wenn du nicht so handelst, handelst du unvernünftig«.

Jetzt sind wir so weit, daß wir die Frage stellen können, ob es auch eine spezifisch moralische Verwendungsweise des Wortes »gut« gibt, und wenn ja, ob auch sie in der vorhin umschriebene Kernbedeutung des Wortes »gut« gehört. Es liegt natürlich nahe, die vorhin ausgesparte Verwendungsweise des Wortes »gut« als einfaches Prädikat als die moralische Verwendungsweise zu identifizieren.[3] Das Wort »gut«

3 Das ist nicht der einzige Weg, der hier beschritten werden kann und beschritten worden ist. Die andere Möglichkeit wäre, die ursprüngliche moralische Bedeutung von »gut« als attributiv anzusehen, und zwar bezogen auf den Klassenausdruck »Mensch«. Diejenigen Handlungen wären dann gut, die von einem guten Menschen vollzogen würden. Diesen Weg hat Aristoteles beschritten. Dabei hat er den fragwürdigen zweiten Schritt getan, die Rede von einem »guten Menschen« analog zu der von einem »guten Messer«, also

wird dann von Handlungen prädiziert. Wenn wir von einer Tat sagen, sie sei gut (oder häufiger: schlecht), Punkt, und nicht mit Bezug auf diesen oder jenen Zweck oder für diese oder jene Person, dann meinen wir, so scheint es, daß sie moralisch gut (oder schlecht) ist. Wir können das die absolute Verwendung des Wortes nennen, wobei ich mit »absolut« lediglich meine: ohne weitere Qualifikation. Was ist es aber nun, was wir meinen, wenn wir das Wort so verwenden? Meinen wir, daß es irgendwie unvernünftig wäre, nicht so zu handeln? Ein solcher Zusammenhang zwischen Vernunft und Moral ist oft behauptet worden, aber es scheint mir klar, daß diese Auffassung unserem normalen Verständnis des Wortes »moralisch« widerspricht. Etwas zu tun, was unmoralisch ist, heißt nicht, daß man sich irrational verhält, und ich meine, daß wir keine Erklärung von Moralität akzeptieren sollten, die diese unplausible Konsequenz hat.

Freilich, manche Philosophen, allen voran Kant, haben bei der Behauptung eines solchen Zusammenhanges zwischen moralischem und vernünftigem Handeln einen *besonderen* Begriff von »Vernunft« unterstellt. Das ist dann aber strenggenommen eine Irreführung durch Mißbrauch eines Wortes. Die gewöhnliche Rede von einem vernünftigen, rationalen Handeln und Vorziehen besagt, daß es sich um ein Handeln bzw. Vorziehen handelt, das begründbar ist derart, daß wir dann von dem, der nicht so handelt, sagen, daß er sich unvernünftig, irrational verhält. Man könnte einwenden,

funktional zu verstehen. Lehnt man das ab, so stellt sich bei diesem Ansatz die Frage, auf welches »vernünftige Vorziehen« diese Rede von einem »guten Menschen« zu beziehen ist: Wenn ich zwischen verschiedenen Menschen zu wählen habe (wozu?), ist der, den ich vernünftigerweise vorziehen würde, der moralischere (und das wäre dann eine Definition von »moralisch«). Der aristotelische Ansatz entspricht wohl der moralischen Verwendung des Wortes »gut« im vorphilosophischen Griechisch. Aber die Griechen hatten noch ein anderes vorphilosophisches Wort, das unmittelbar auf moralische Handlungen bezogen wurde und etwa unserem »gut« in der oben beschriebenen absoluten Verwendungsweise entspricht: καλόν.

wer unmoralisch handelt, handelt zwar nicht irrational, aber gegen die besseren Gründe. »Was du tust«, so könnte man einem unmoralisch Handelnden entgegenhalten, »liegt zwar in deinem wohlverstandenen Interesse und ist insofern rational, aber wie kannst du begründen, so zu handeln?« Ich meine jedoch, daß hier die umgangssprachliche Rede ungenau wiedergegeben ist. Man würde den Betreffenden nicht fragen »Wie kannst du begründen, so zu handeln?«, sondern »Wie kannst du begründen, so handeln zu dürfen?« Das heißt aber, in dieser Begründungsfrage ist – in dem Bezug auf »dürfen« – bereits ein Bezug auf etwas Normatives impliziert; das Normative ist dann also der Bezugspunkt für die Begründung und wird nicht wie bei den Vernunftnormen durch sie konstituiert.

Vorausgesetzt also, daß wir die »absolute« Verwendungsweise von »gut« wirklich mit der moralischen identifizieren dürfen, fällt diese Verwendungsweise des Wortes nicht in den Bereich der vorhin umrissenen Kernbedeutung, denn moralische Normen sind nicht »Vernunftnormen«. Aber zu demselben Ergebnis kommen wir auch ohne diese Voraussetzung. Denn wie immer wir die absolute Verwendungsweise des Wortes »gut« verstehen mögen: *wenn* mit »gut« auch hier, wo dieses Wort nicht qualifiziert, und d. h. nicht relativ auf etwas verstanden wird, gemeint ist, daß es begründet ist, das, was gut ist, vorzuziehen, so hieße das, daß es eine praktische Begründbarkeit gibt, die nicht relativ auf etwas ist. Man könnte vielleicht sagen: Warum nicht? Warum soll es nicht möglich sein, eine Handlung bzw. eine Wahl nicht nur mit Bezug auf einen Zweck und nicht nur mit Bezug auf das Wohl eines Wesens zu begründen, sondern einfachhin? Ich kann dazu nur sagen, daß es mir völlig unklar scheint, was es heißen soll, daß eine Handlung begründet wird, Punkt, und nicht mit Bezug auf etwas, bzw. daß es vernünftig ist, etwas zu wollen – nicht mit Bezug auf einen Zweck und nicht mit Bezug auf das Wohl

eines Wesens, sondern vernünftig einfachhin. Soweit ich
sehen kann, ist das eine sinnlose Vorstellung.[4]
Dann hängt jetzt freilich auch das Wort »gut« in dieser
absoluten Verwendungsweise in der Luft. Wenn ein absolu-
ter Wertsatz nicht einer Vernunftnorm entspricht, ist es
vorerst unklar, was mit ihm überhaupt gemeint sein kann.
Statt hier weiter herumzuprobieren, schlage ich vor, diesen
ersten Versuch, den Begriff des Moralischen einzugrenzen,
nämlich aus der Perspektive der Wertsätze, als vorerst gescheitert anzusehen.
Wenden wir uns also der anderen Möglichkeit zu, daß
moralische Überzeugungen sich primär auf Normen beziehen, und das kann jetzt natürlich nur heißen: auf Normen,
die nicht in Werturteile übersetzbar sind, also auf Normen,
die nicht Vernunftnormen (in dem vorhin definierten Sinn)
sind. Es wird sich zeigen müssen, ob vielleicht auf diesem
Umweg doch noch ein Verständnis der absoluten Verwendungsweise von »gut« zu erreichen sein wird, die sich im
direkten Anlauf jetzt als so schwierig erwies.
Unter Normen ganz allgemein kann man allgemeine Hand-
lungsanweisungen verstehen, die in Sätzen formuliert sind
(im Unterschied zu solchen Handlungsregeln, die nur daran
erkennbar sind, daß bestimmte Handlungen – z. B. Tanz-
schritte oder Lautfolgen – als richtig bzw. falsch beurteilt
werden). Normengeleitetes Handeln ist also eine Art von
regelgeleitetem Verhalten, das seinerseits von bloß regelmä-
ßigem Verhalten unterschieden ist. Eine in einem Satz for-
mulierte Handlungsanweisung läßt sich als ein allgemeiner
Imperativ verstehen. Man pflegt Normen in der Philosophie
häufig als Sollsätze zu bezeichnen, aber »sollen« ist das
schwache normative Wort; das Wort, das wir normalerweise
in normativer Rede im wirklichen Leben verwenden, ist das
starke normative Wort »muß« (bzw. bei der Negation »darf

4 Sie ist auch von mir selbst vertreten worden in meinen *Vorlesungen zur
Einführung in die sprachanalytische Philosophie*, Vorl. 7.

nicht« oder »kann nicht«).[5] Für alles normative, ja überhaupt für alles regelgeleitete Handeln konstitutiv ist, daß es
mit Bezug auf etwas als richtig oder falsch beurteilbar ist,
und je nachdem, was das ist, mit Bezug worauf kritisiert
wird, unterscheidet sich der Sinn des »soll« (bzw. »muß«).
Die größte Gefahr der Verunklärung, die der Moralphilosophie droht, ist, den Sinn des »soll« in einem Nebel zu
belassen.

Um zu verstehen, was mit dem jeweiligen »soll« gemeint ist,
müssen wir uns, meine ich, immer fragen: Was ist es, was
passiert (bzw. was muß man in Kauf nehmen), wenn man
nicht tut, was man soll? Bei den Vernunftnormen haben wir
schon gesehen: hier heißt »Man soll vorziehen«: Wenn man
nicht vorzieht, handelt man irrational. Da wir gesehen
haben, daß der Sinn des moralischen »soll« nicht der dieser
Vernunftnormen ist, liegt es nahe, ihn im Bereich derjenigen
Klasse von Normen zu suchen, bei denen das, was passiert,
wenn man nicht so handelt, in einer Sanktion durch seine
Mitmenschen (oder die Götter) besteht. Mit Sanktion ist
hier die ganze Bandbreite negativer Reaktionen von Liebesentzug, Tadel und Verachtung bis zum Zufügen äußerer
Strafen gemeint. Die so definierten Normen will ich als
soziale Normen bezeichnen. Soziale Normen sind jeweils
konstitutiv für eine intersubjektive Praxis.

Eine solche intersubjektive Praxis kann entweder eine
begrenzte sein, die ein Individuum freiwillig eingehen und
wieder aufgeben kann, und die reinste, mit der anderen nicht
kontaminierte Form einer solchen Praxis ist die der sozialen Spiele wie z. B. Fußball, Schach oder die von Piaget
so eindringlich untersuchten Murmelspiele. Oder aber die

---

5 Sowohl »sollen« wie »müssen« haben auch eine theoretische Verwendung
zur Bezeichnung von faktischen Regelmäßigkeiten. Für eine ausführliche
Darstellung dieser Zusammenhänge vgl. John Leslie Mackie, *Ethics. Inventing
Right and Wrong*, Harmondsworth 1977, Kap. 3.2 (dt.: J. L. M., *Ethik. Auf
der Suche nach dem Richtigen und Falschen*, Stuttgart 1981, Reclams Universal-Bibliothek, 7680 [4]).

intersubjektive Praxis betrifft das gesamte soziale Leben einer Gemeinschaft, und die Normen, die diese Praxis regieren, sind das, was man soziale Normen im engeren Sinn nennen kann:[6] Sitten und Rechtsnormen.

Sofern es jeweils eine ganze, sei es begrenzte, sei es umfassende Praxis ist, die geregelt wird, fügen sich die sozialen Normen charakteristischerweise zu Systemen, einem Rechtssystem z. B. oder der Gesamtheit der Regeln, die ein Spiel definieren. So ein Normensystem besteht teilweise aus Geboten, in der Hauptsache aber aus Verboten, und was nicht verboten und nicht geboten ist, ist erlaubt: sie definieren daher die restriktiven Bedingungen, unter denen das Individuum in diesem Spiel bzw. in dieser Gesellschaft tun kann, was es will, und d. h. dann natürlich auch: was es gegebenenfalls vernünftigerweise will (und in diesem Sinn soll). Daher gibt es z. B. im Schach zwei ganz verschiedenartige Sollsätze. Auf der einen Seite gibt es die normativen Sätze, die sich auf die Spielregeln beziehen, wie wenn ich einem Anfänger sage »So kannst (darfst) du den Läufer nicht ziehen«. Auf der anderen Seite haben wir solche normativen Sätze wie »So kannst (darfst) du nicht ziehen«, wenn ich meine: »Das wäre ein für dich schlechter Zug«. Bei dem zweiten Satz ist impliziert »Sonst handelst du unvernünftig«, beim ersten »Sonst verletzt du eine Regel, die hier gilt«.

Es ist charakteristisch für soziale Normen und nur für sie, daß sie »gelten«. Was ist damit gemeint? Wenn jemand die geltenden Regeln eines Spiels verletzt, hat das zur Folge, daß die anderen mit ihm nicht mehr spielen werden; wenn er die geltenden Sitten verletzt, hat es zur Folge, daß er mehr oder weniger gemieden oder geächtet wird; wenn er das geltende Recht verletzt ebenso wie bei kleinen Spielverstößen, daß er bestimmte festgelegte Strafen in Kauf nehmen muß. Ohne

---

6 Manche Autoren verwenden sogar den allgemeinen Terminus »Norm« nur in diesem Sinn; diese Wortfragen sind natürlich gleichgültig.

die auf dem Tun des Nichtgesollten stehende Sanktion wäre
es nicht verständlich, was mit dem »sollen«/»müssen« und
dem »gelten« der sozialen Norm gemeint ist.

Wir sind auf der Suche nach einer Begriffsbestimmung
moralischer Urteile. Nachdem sich gezeigt hat, daß die
Moral nicht im Umkreis von Vernunftnormen zu finden ist,
liegt es nahe, sie im Umkreis von sozialen Normen zu
suchen. Aber Moral äußert sich charakteristischerweise in
Urteilen, und Urteile erheben einen Begründungsanspruch.
Wenn der Versuch, den Ort der moralischen Normen im
Umkreis der sozialen Normen zu finden, eine Aussicht auf
Erfolg haben soll, müßte sich zeigen lassen, daß soziale
Normen irgendwie auf Begründbarkeit bezogen sein
können.

In dieser Hinsicht zeigt sich sofort ein scharfer Kontrast
zwischen Spielregeln auf der einen Seite und sozialen Normen im engeren Sinn auf der anderen. Beim Schach z. B. ist
es sinnlos, nach einer Rechtfertigung oder Begründung der
Regeln dieses Spiels zu fragen. Spielregeln scheinen einer
Begründung nicht fähig zu sein, und zwar deswegen nicht,
weil sie einer Begründung auch nicht bedürftig sind, und
dies sind sie nicht, weil es in die Freiheit des Individuums
gestellt ist, ob es an einer solchen intersubjektiven Praxis
teilnehmen will oder nicht. (Nebenbei gesagt ist es auch
eine Folge der Freiwilligkeit von Spielen, daß ihre Regeln
immer gerecht sind; sie bevorzugen nicht einen Teilnehmer
gegenüber einem anderen, aus dem einfachen Grund, weil
sich an einem Spiel mit solchen Regeln niemand beteiligen
würde.) Den Sitten und Rechtsnormen ihres sozialen
Systems hingegen sind die Individuen unterworfen, ob sie
wollen oder nicht. Und da es sich dabei nicht um Naturge-
setze handelt, sondern um menschliche Sanktionen, stellt
sich die Frage, wodurch eine solche Einschränkung der
Freiheit des Individuums ihm gegenüber zu rechtfertigen
ist. Sitten und Rechtsnormen sind also *begründungsbedürftig*.

Es liegt nun nahe, diejenigen Prinzipien als moralische zu bezeichnen, mit deren Hilfe man Sitten und Rechtsnormen begründen kann, und daraus würde dann auch folgen, daß man auch die Sitten und Rechtsnormen ihrerseits, wenn sie so begründet sind, als moralisch bezeichnen kann. Einfacher formuliert: Es würde sich ergeben, daß man diejenigen sozialen Normen, die man für begründet hält, als moralisch bezeichnet und dadurch das Wort »moralisch« definiert wäre.

Das ist jedoch ein Vorgriff. Zunächst müssen wir fragen, was es denn überhaupt heißen kann, eine soziale Norm zu begründen. Um die Schwierigkeit dieser Frage richtig zu ermessen, ist es gut, sie noch allgemeiner zu stellen: Was kann es überhaupt heißen, eine Norm irgendeiner Art zu begründen? Eine Norm ist ein generalisierter Imperativ, und ein Imperativ ist ein Satz, der im Gegensatz zu einem Aussagesatz seinem Sinn nach nicht auf Begründung angelegt ist; man sieht nicht, wie hier die Frage nach einer Begründung überhaupt greifen kann. Diese Schwierigkeit könnte man deswegen leicht übersehen, weil es, wie wir gesehen haben, einen Typ von Sollsatz gibt, nämlich die Vernunftnormen, der wirklich begründbar ist, aber das liegt einfach daran, daß ein Satz dieses Typs in einen Aussagesatz übersetzbar ist. Bei letzterem wird begründet, daß einer Sache das Prädikat »gut« relativ auf etwas zukommt. In diesem Prädikat wird auch faßbar, *was* es ist, was in diesem Fall begründet wird. Wo immer ein Satz begründbar ist, muß er schon selbst einen Begründungsanspruch erheben. Worauf aber soll eine Rechtsnorm oder eine Sitte einen Begründungsanspruch erheben?

Es mag instruktiv sein, kurz auf eine Auffassung einzugehen, in der dieses Problem übersehen wird, diejenige von Habermas. Habermas geht von der richtigen Beobachtung aus, daß es ein historisch-soziologisches Faktum ist, daß bei Sitten und Rechtsnormen nach ihrer Begründung gefragt wird und immer gefragt wurde. Aber dieses Faktum konstatieren, heißt noch nicht, es verstehen. Man kann nicht bei einer sozialen Norm in gleicher Weise wie bei einem Aussagesatz sagen, daß es geradezu dieser Satz selbst ist, der begründet werden kann. Habermas versucht dies gleichwohl zu behaupten, indem er glaubt, verschiedene »Geltungsansprüche« unterscheiden zu können, den der Wahrheit bei Aussagen und den der Richtigkeit bei Normen. Aber sowohl die Rede von »Geltung« wie die von »Richtigkeit« sind in diesem Zusammenhang durchaus unklar. Wenn man von »Geltung« im Zusammenhang mit Normen spricht, meint man normalerweise ihre positive Geltung (z. B. in einer Rechtsordnung). Und wenn man von »Richtigkeit« im Zusammenhang von Normen spricht, meint man die Richtigkeit einer Handlung relativ zu einer Norm. Es ist unklar, was es heißen soll, von einer Norm zu sagen, daß sie absolut gelte oder daß sie selbst richtig sei. Habermas' Antwort auf die Frage, was es denn sei, was wir begründen, wenn wir eine Norm begründen, wäre: daß sie gilt bzw. daß sie richtig ist, aber diese Erklärung bleibt leer, solange die Wörter »Geltung« und »Richtigkeit« nicht erklärt werden können. Die angebliche Analogie zur Wahrheit von Aussagen besteht nicht. Man kann zwar sagen: Was wir begründen, wenn wir eine Aussage begründen, ist, daß sie wahr ist, aber das bedeutet nichts anderes, als die Aussage selbst zu begründen (wir brauchen hier das Wort »wahr« nicht). Auf die Frage, was er mit der Richtigkeit einer Norm meint, kann Habermas nur antworten: daß sie begründet ist. Das ist jedoch zirkulär, denn die Frage war doch gerade, worin die Begründbarkeit besteht.

Die Idee, daß eine Norm als solche begründbar sein könnte, so wie eine Aussage als solche begründbar ist, ist also abwegig. Der einzig mögliche Sinn, den eine Begründung bei einer sozialen Norm haben kann, ist, daß begründet wird, daß der Norm eine bestimmte Eigenschaft zukommt. So sollte ja auch nach Habermas einer Norm die Eigenschaft der Richtigkeit zukommen, freilich eine Pseudo-Eigenschaft. Die Idee, daß, was hier zu begründen ist, ein Aussagesatz ist, in dem einer Norm eine Eigenschaft zugesprochen wird, verliert den möglichen Anschein von Artifizialität, sobald man an den besonderen Fall der Frage nach der Legitimität von Rechtsnormen denkt, wo es durchaus natürlich ist zu sagen: Was hier zu begründen ist, ist, daß die Normen gerecht sind. Hier ist also die Gerechtigkeit die gesuchte Eigenschaft.

Aber das ist ein speziellerer Fall. Um an den allgemeinen Fall heranzukommen, legt es sich nahe, von genau dem Faktor auszugehen, der soziale Normen im engeren Sinn im Gegensatz zu Spielregeln begründungsbedürftig macht. Denn das, was an einer Norm zu begründen ist, müßte genau das betreffen, was sie begründungsbedürftig macht. Wir haben gesehen, daß Spielregeln deswegen nicht begründungsfähig sind, weil sie nicht begründungsbedürftig sind, und daß sie dies nicht sind, weil man die intersubjektive Praxis eines Spiels freiwillig und zeitlich begrenzt eingeht. Die sozialen Normen im engeren Sinn erwiesen sich hingegen als begründungsbedürftig, weil die Individuen ihnen durch Sanktionen ein für alle Mal unterworfen sind. Sie muten dem Individuum zu, mit Rücksicht auf sie seine eigenen Interessen zurückzustellen bzw. seine Freiheit einzuschränken. Es gibt nun die zwei Möglichkeiten, daß das Individuum diesen Zwang entweder als bloßen Zwang erlebt oder als begründet einsieht und insofern den Zwang in seinen freien Willen aufnimmt.[7] Im letzten Fall würde das Individuum mit Bezug auf die gesellschaftlichen Normen eben das einholen, was das normative System eines Spiels

---

7 Zu diesem Satz zwei Bemerkungen: Erstens, er zeigt, wie falsch die Vorstellung ist, daß die Erklärung des »soll« der sozialen Normen mit Bezug auf Sanktionen und mit Bezug auf Begründung eine Alternative darstellt, denn die letztere beruht ihrem Sinn nach auf der ersteren: was zu begründen ist, ist gerade der Sanktionscharakter der Normen. Zweitens, man könnte zweifeln, ob es noch sinnvoll ist, von einem Zwang zu sprechen, wenn man etwas freiwillig auf sich nimmt. Zur Klärung mag auch hier der Vergleich mit den Spielen nützlich sein, vgl. den nächsten Satz im Text.

gegenüber dem normativen System der Wirklichkeit voraus hat: die Freiwilligkeit der Unterwerfung. Die Begründung müßte also darin bestehen, daß das Individuum sich überzeugte, daß es, wenn es ihm offengestanden hätte, sich aus freien Stücken für oder gegen das normative System, in dem es sich unfreiwillig und lebenslänglich befindet, zu entscheiden, dies ebenso freiwillig gewählt hätte, wie es jederzeit frei wählen kann, sich auf ein Spiel einzulassen.

Man kann sich (ich werde darauf noch zurückkommen) mehrere Gründe denken, die für ein Individuum dafür sprechen, einem System sozialer Normen zuzustimmen, und das soll eben heißen: sich sagen zu können, daß es sich ihm auch freiwillig unterwerfen hätte bzw. unterwerfen würde. Diese Zustimmung ist aber dann rational, wenn der Grund der Zustimmung darin besteht, daß das Individuum zu der Auffassung kommt, daß die Geltung der Norm (bzw. eines ganzen normativen Systems) *für es gut* ist, bzw. daß es für es besser ist, daß es und auch alle anderen ihm unterworfen sind, als daß keiner ihm unterworfen ist. Das ist dann der Fall, wenn der Vorteil, der der Person daraus erwächst, daß alle anderen diese Regeln befolgen müssen, größer ist als der Nachteil, der darin liegt, daß auch sie sie befolgen muß. Man kann sich eine Skala denken, auf der ein Individuum normative Systeme nach dem Kriterium »besser für mich« ordnen kann.

Damit haben wir jetzt ein erstes Prädikat gefunden, auf das hin Normen und normative Systeme beurteilt werden können. Freilich ermöglicht dieses Prädikat »gut für es« noch keine Begründung der Geltung der Norm als solcher, sondern nur eine Begründung dafür, daß ein einzelnes Individuum bzw. eine soziale Klasse von Individuen der Norm zustimmt, und zwar rational zustimmt. Da aber nun dieselbe Begründungsbedürftigkeit, die für ein Individuum (bzw. eine Klasse von Individuen) besteht, für alle Individuen besteht, ergibt sich als naheliegender nächster Schritt die Frage: Ist die Norm gut für alle (und für alle in gleicher

Weise)? Es ist nun naheliegend zu sagen: Genau das ist es, was mit dem Wort »gut« in seiner absoluten Verwendungsweise gemeint ist. Das hätte dann auch zur Folge, daß sich die Verwendungsweise des Wortes »gerecht« in einleuchtender Weise in die des Wortes »gut« integrieren läßt. Denn es liegt nun nahe zu sagen: Der spezifische Aspekt, daß die Norm nicht nur für alle gut ist, sondern für alle in gleicher Weise, daß sie also unparteiisch ist (und das ist ein Aspekt, auf den es nur bei bestimmten sozialen Normen überhaupt ankommt), wird speziell mit dem Wort »gerecht« zum Ausdruck gebracht.

Das Ergebnis wäre also: Das, was es ist, was wir begründen, wenn wir Normen begründen, ist, daß sie gut sind, und d. h.: daß sie für alle gleichermaßen gut sind.

Nun mag soviel einleuchten, daß, wenn wir eine soziale Norm begründen, das den Sinn hat, daß wir begründen, daß ihr eine bestimmte Eigenschaft zukommt bzw., sprachlich gewendet, daß ein bestimmtes Prädikat auf sie zutrifft. Jedenfalls ist jetzt an einem Beispiel deutlich geworden, daß das einen Sinn hat und welchen Sinn es hat, während die Alternative, daß man eine Norm an und für sich begründen könne, sich als leer erwiesen hat. Doch wird man jetzt fragen wollen: erstens, ist es zwingend, daß das Begründungsprädikat ausgerechnet das Wort »gut« ist? Und zweitens, wenn es schon das Wort »gut« ist, muß dieses Wort im Sinn von »gut für alle« verstanden werden?

Ich meine nun selbst, daß beide Fragen zu verneinen sind. Erstens, es gab und gibt Kulturen, die ihre Normen dadurch begründeten, daß sie einen göttlichen Ursprung für sie in Anspruch nahmen. Das relevante Prädikat war dann nicht »gut«, sondern etwa »heilig« oder »gottgewollt«. Zweitens, auch wenn das Begründungsprädikat das Wort »gut« ist, besteht keine Notwendigkeit, es so zu verstehen, wie ich es eben vorgeschlagen habe. Im Gegensatz zu den relativen Verwendungsweisen scheint das Wort »gut« in seiner absoluten Verwendungsweise in der Sprache keine eindeutige Bedeutung zu haben.

Ich sehe insbesondere zwei andere Möglichkeiten, wie das Wort in unserem Kontext verstanden werden kann und auch tatsächlich verstanden worden ist. Die eine Möglichkeit ist, daß man der Auffassung ist, eine Norm sei dann begründet, nicht wenn sie für alle individuell gut ist, sondern wenn sie für die Gemeinschaft als ganze gut ist. Auch hier wäre also die absolute Verwendungsweise definiert durch die relative Verwendungsweise im Sinn von Zuträglichkeit, nur daß diese jetzt nicht mit Bezug auf alle einzelnen Individuen, sondern mit Bezug auf die Gruppe verstanden ist, die als ein eigenes Wesen aufgefaßt wird. Das setzt eine holistische Auffassung der Beziehung der Individuen zur Gruppe voraus; die Individuen sind für die Gemeinschaft da und nicht umgekehrt; die Gemeinschaft wird nach dem Modell eines Organismus gedacht und die Individuen als dessen Organe. Diese Konzeption von Moral ist natürlich nicht in eine universelle Moral erweiterbar, wie es die ist, in der die Individuen als letzte und gleiche Bezugspunkte aufgefaßt werden. Zu diesem organistischen, aufs Gemeinwesen bezogenen Verständnis der absoluten Verwendung des Wortes »gut« gehört auch ein entsprechendes Verständnis des Wortes »gerecht«. Die alte Form für Gerechtigkeit »Jedem das Seine« kann im Sinn von Unparteilichkeit verstanden werden, aber sie kann auch organisch verstanden werden: jeder zählt dann nicht gleich, sondern ihm gebührt, was ihm gemäß seiner Stellung im hierarchischen System der Gemeinschaft entspricht.

Eine dritte Auffassung des Wortes »gut« in seiner absoluten Verwendung ist die utilitaristische. Gemäß einer regel-utilitaristischen Konzeption ist ein normatives System A besser als ein normatives System B, wenn A mehr Wohlergehen erzeugt als B, wobei es gleichgültig ist, wie das Wohlergehen verteilt ist. Im Gegensatz zur organistischen Konzeption sind in der utilitaristischen Konzeption die Individuen die letzten Bezugspunkte, und das Wohlergehen eines Individuums zählt nicht mehr als das eines anderen, aber worauf es ankommt, ist die Gesamtmenge an Wohlergehen, nicht seine gleiche Verteilung.

Was die Auffassung von »gut« im Sinn von »gleichermaßen gut für alle« sowohl von der organistischen wie von der utilitaristischen Auffassung unterscheidet, ist, daß sie sich aus zwei Stufen aufbaut: Die erste besteht in der Frage jedes Individuums, ob es dem normativen System rational zustimmen kann, die zweite in der Universalisierung dieser Zustimmung.

Ich werde erst in der 3. Vorlesung zu zeigen versuchen, inwiefern dieser Auffassung, daß soziale Normen dann begründet sind, wenn sie gut in diesem besonderen Sinn von »gleichermaßen gut für alle« sind, eine Auszeichnung vor den anderen Auffassungen zukommt. Worauf es mir im jetzigen Kontext, in dem es vorerst nur um die Umgrenzung des *Begriffs* der Moral geht, ankommt, ist, daß dieser Begriff unangemessen verengt würde, wenn wir meinten, von einer Begründung sozialer Normen als moralischer nur dann sprechen zu dürfen, wenn sie als in diesem (oder in irgendeinem) Sinn gut begründet werden. Wollte man den Begriff der moralischen Begründung in dieser Weise verengen, indem man die Vielfalt möglicher Begründungsprädikate (»gottgegeben«, »gut$_1$«, »gut$_2$« usw.) auf ein einziges einschränkt, würde man damit der Auseinandersetzung zwischen diesen verschiedenen Auffassungen von moralischer Begründung den Boden entziehen, bzw. man würde sie durch einen semantischen Gewaltstreich vorentscheiden. Durch die Gleichsetzung von »moralisch« mit einem bestimmten, von uns privilegierten Begründungsprädikat, sagen wir »gut$_1$«, hätten wir alle anderen Begründungskonzeptionen einfach durch eine Definition ausgeschlossen. Auf diese Weise würde wirklich eine substantielle Frage zu einer Wortfrage verfälscht. Hier stoßen wir also auf den berechtigten Kern des Argwohns gegenüber der semantischen Methode. Aber er betrifft natürlich nicht die semantische Methode als solche, sondern eine verfehlte Art ihrer Durchführung. Es gibt ein klares Kriterium, unter welcher Bedingung eine solche Verengung des Begriffs der moralischen Begründung berechtigt wäre. Sie wäre es dann, wenn man sich keine sinnvolle Auseinandersetzung zwischen den vorhin angedeuteten verschiedenen Konzeptionen, die sich jeweils in einem anderen Begründungsprädikat artikulieren, vorstellen könnte. Entweder sie haben es mit verschiedenen Sachen zu tun; dann können sie sich auch nicht widerstreiten. Oder sie haben es mit verschiedenen Konzeptionen einer Sache zu tun; dann aber ist es erforderlich, diese eine Sache in einem einheitlichen Begriff zu fassen.

Es liegt nahe, als Wort für diesen einheitlichen Begriff das Wort »moralisch« zu verwenden. Aber auch an diesem Wort als solchem liegt natürlich nichts. Nicht in allen Kulturen gab es ein solches Wort. Die eine Sache, die es in allen Kulturen gab und über deren Sinn es verschiedene Auffassungen gibt, ist der Anspruch, daß die sozialen Normen (oder ein Teil von ihnen) begründet sind. Deswegen liegt es nahe, genau diese Eigenschaft von Normen, daß man sie für begründet hält, wie immer man dieses Begründetsein näher versteht, d. h. in welchem Begründungsprädikat auch immer sich der Begründungsanspruch artikuliert, mit dem Wort »moralisch« festzuhalten.

Worin besteht nun aber, wenn es verschiedene mögliche Begründungsprädikate gibt, der einheitliche Sinn der Rede von einer Begründung sozialer Normen? Ich habe schon gezeigt, daß es nicht sinnvoll ist, von einer Begründung einer sozialen Norm an und für sich zu sprechen, so wie sich ein Aussagesatz an und für sich begründen läßt. Wenn das, was wir begründen, ein sprachliches Gebilde ist, kann es sich immer nur um einen Aussagesatz handeln; deswegen ist, was wir begründen können, wenn wir eine Norm begründen, nur, daß ihr ein bestimmtes Prädikat zukommt. Nachdem sich jetzt aber gezeigt hat, daß sich mehrere solche

Prädikate anbieten, könnte man nun versucht sein, nach einem Superprädikat Ausschau zu halten, in dem die Einheitlichkeit dessen, was hier zu begründen ist, zum Ausdruck kommt. Aber das wäre ebenso verfehlt wie die Vorstellung, man könne eine Norm an und für sich begründen. Die Frage, was es denn im allgemeinen ist, was wir begründen, wenn wir eine soziale Norm begründen, läßt sich nur angemessen beantworten, indem wir uns erneut darauf besinnen, was es denn war, was soziale Normen begründungsbedürftig machte. Das war der Umstand, daß wir diesen Normen und ihren Sanktionen unterworfen sind, ob wir wollen oder nicht, und daß wir unsererseits von anderen (z. B. von unseren Kindern) dieselbe Einschränkung verlangen. Diese Einschränkung unseres eigenen Handelns und die gleichzeitige Forderung an andere, ihr Handeln ebenso einzuschränken, ist das, was zu begründen ist.

Was wir also letztlich begründen, wenn wir eine Norm (oder, genauer gesagt, die Geltung, also die Sanktionierung der Norm) begründen, ist somit weder diese Norm als solche noch ein Aussagesatz, in dem wir etwas von einer Norm prädizieren, sondern wir sagen, warum wir meinen, einen Grund zu haben, uns der Norm und ihrer Sanktion freiwillig zu unterwerfen. Der Sinn der Rede von einer Begründung ist also hier letztlich nicht eine Begründung *von* (einer Aussage), sondern eine Begründung *für* (ein Handeln): die Begründung ist eine Begründung dafür, die intersubjektive Praxis, die durch ein normatives System definiert ist, einzugehen. Ein Individuum hat für die verschiedenen Handlungen und Handlungskomplexe seines Lebens verschiedene Gründe (Motive), und nun wird ihm von der Gesellschaft bzw. von seinen Mitmenschen zugemutet, alle diese Handlungen, was immer ihre Gründe sein mögen, unter einschränkende Bedingungen zu stellen. Es fragt: Warum? Weil, so wird ihm geantwortet, diesen Normen eine ausgezeichnete Eigenschaft zukommt; diese Antwort muß offenbar die Kraft haben, daß sie für das Individuum einen Grund darstellt, diese Einschränkung seines Handelns bzw. darüber hinaus die ganze dadurch bestimmte intersubjektive Praxis freiwillig zu bejahen.

Natürlich wird eine solche Bejahung auf Grund der genannten ausgezeichneten Eigenschaft zusammenhängen mit dem jeweiligen Selbstverständnis der Individuen: Verstehen sie sich als Kinder Gottes, dann ist der Umstand, daß die Normen gottgewollt sind, der Grund, sich ihnen unterzuordnen und dasselbe von allen anderen zu verlangen; verstehen sie sich als Glieder einer organistisch verstandenen Gemeinschaft, dann ist der Umstand, daß die Normen für die Gemeinschaft gut sind, der Grund, sich ihnen zu unterwerfen und dasselbe von allen anderen Gliedern dieser Gemeinschaft zu verlangen usw. Damit ist jetzt geklärt, worin der einheitliche Sinn der Begründung von Normen besteht, und zugleich auch, wie die Begründung der *Aussage*, daß einer Norm das jeweilige Begründungsprädikat zukommt, mit dem eigentlich *praktischen* Sinn der Begründung von sozialen Normen – als einer Begründung für das Eingehen einer intersubjektiven Praxis – zusammenhängt.

Es ist jetzt deutlich geworden, warum die Frage nach der wahren Bedeutung des Wortes »gut«, die in der klassischen analytischen Ethik eine so große Rolle gespielt hat, für die Frage der Begründung von Normen so belanglos ist. Nicht nur gibt es keine feste Bedeutung dieses Wortes in seiner absoluten Verwendung, sondern an dieser Frage hängt auch nichts. Die Frage ist nicht, welches Verständnis dieses Wortes das richtigere ist, sondern welches eine angemessenere Antwort auf die Frage nach dem Grund enthält, den wir dafür haben mögen, uns sozialen Normen zu unterwerfen.

Wir haben damit die Grenze der begrifflichen Vorklärungen, und d. h. der semantischen Zugangsweise zum Problem der Moral erreicht. Der Verdacht, daß die semantischen Reflexionen für die Begründung unserer moralischen Urteile nichts hergeben, hat sich als richtig erwiesen, aber diese

Reflexionen waren erforderlich, um zu einem richtigen Verständnis davon zu gelangen, was hier überhaupt zur Begründung ansteht.

Unsere Ausgangsfrage war, wie der Begriff moralischer Urteile auszugrenzen sei und worin ihre Begründbarkeit besteht. Diese Frage ist jetzt so beantwortet, daß moralische Urteile sich auf soziale Normen beziehen, und zwar jene, die einen Begründungsanspruch erheben, und dieser Begründungsanspruch hat sich als zweistufig erwiesen: Auf einer ersten, gleichsam internen Ebene besteht er in dem Anspruch, daß einer Norm dasjenige Prädikat zukommt, das die für Moralität für wesentlich gehaltene Eigenschaft zum Ausdruck bringt, und es ist dieses Prädikat, das in den Aussagen, in denen sich moralische Urteile äußern, verwendet wird. Auf der zweiten, gleichsam externen Ebene bestünde die Begründung in dem Nachweis, daß das Zutreffen dieses Prädikats einen Grund dafür – und gegebenenfalls einen besseren als andere Prädikate – abgibt, sich einem so charakterisierten normativen System zu unterwerfen und diese Unterwerfung auch anderen zuzumuten.

Die erste Ebene erscheint vergleichsweise trivial, da es auf ihr noch nicht um die Frage geht, ob Normen letztbegründbar sind. Ich will jedoch in der 2. Vorlesung zeigen, daß auch schon diese immanente Begründung jedenfalls dann ihre eigene Problematik hat, wenn das Begründungsprädikat von solcher Art ist, daß es kein triviales Verfahren für seine Anwendbarkeit gibt. Das gilt insbesondere in dem Fall, in dem das Begründungsprädikat das von mir bevorzugte »gleichermaßen gut für alle« ist. Erst in der 3. Vorlesung werde ich zur zweiten Begründungsebene übergehen und die Frage aufnehmen, wie eine Auseinandersetzung zwischen den verschiedenen Begründungsprädikaten ihrerseits denkbar ist, und d. h. dann, ob es hier einen irgendwie absoluten Maßstab und damit eine Letztbegründung gibt.

2. Kann man aus der Erfahrung moralisch lernen?

Das Ergebnis der 1. Vorlesung war, daß sich die Frage der Begründung unserer moralischen Überzeugungen auf zwei Ebenen stellt. Die erste betrifft die Begründung moralischer Normen unter Voraussetzung eines bestimmten moralischen Begründungsprädikats, und man kann also sagen: unter Voraussetzung einer bestimmten Konzeption von Moral. Die zweite betrifft die Begründung dieser Konzeption selbst bzw. die Auseinandersetzung zwischen den verschiedenen Konzeptionen und damit zugleich die Frage der Begründung eines moralischen Standpunkts überhaupt.

Beide Fragenkomplexe pflegt man meist in einer Wahr-oder-Falsch-Einstellung anzugehen. Man versucht zu zeigen, daß eine Konzeption von Moral die richtige ist, die anderen falsch, und ebenso bei der Begründung von Normen innerhalb einer Konzeption: Man versucht zu zeigen, daß es eine definitive Begründungsprozedur gibt, und wenn das nicht gelingt, meint man, daß von Begründung überhaupt nicht geredet werden kann. Demgegenüber will ich versuchen, beide Fragenkomplexe in einer komparativischen Einstellung anzugehen. Damit meine ich: Es gibt vielleicht nur bessere und schlechtere Begründungen, und wenn es keine Letztbegründung gibt, so ist ein reflektiertes, relativ begründendes Verhältnis zu Normen gleichwohl sinnvoll und von einem puren Dezisionismus wesentlich unterschieden.

Schon in der 1. Vorlesung hat sich gezeigt, daß es nicht sinnvoll ist, von einem wahren Moralprinzip zu sprechen, das es irgendwie an sich gibt und von dem ein absolutes und in seinem Sinn entsprechend unerklärliches »muß« ausgeht. Gäbe es ein solches Prinzip, so müßte es einen a priori synthetischen Charakter haben, denn erstens könnte ein solches Prinzip gewiß nicht empirisch sein, und zweitens ist es klar, daß ein bloß analytisch apriorischer Satz kein substantielles Gebot enthalten könnte. Deswegen hat ja auch Kant geglaubt, daß sein kategorischer Imperativ – ein Prinzip, das ungefähr auf der Linie der von mir favorisierten Explikation des Wortes »gut« liegt – ein a priori synthetisches Prinzip ist. Kant hat ganz richtig gesehen, daß aus einer bloß analytischen Explikation dieses (oder irgendeines anderen) Wortes (und man kann sagen, daß der ganze 2. Abschnitt seiner *Grundlegung zur Metaphysik der Sitten* nichts anderes ist als eine solche Explikation) noch nicht folgen kann, daß wir die unter diesem Prinzip stehenden Normen auch wirklich wollen sollen. Deswegen rekurrierte er auf die Idee eines synthetischen Apriori. Ich kann hier auf die Problematik dieses Begriffs nicht eingehen. Fast alle sind sich heute einig, daß es sich dabei um ein hölzernes Eisen handelt. Wir können dieses Unternehmen Kants, sowohl in der theoretischen wie in der praktischen Philosophie an die Stelle eines verlorengegangenen transzendent fundierten »muß« ein im Wesen des Subjekts fundiertes »muß« zu setzen, nur noch historisch verstehen und erklären. Wenn sich aber ein Moralprinzip weder objektiv noch subjektiv absolut begründen läßt, so bleibt doch die Möglichkeit seiner relativen Begründung oder, um es vorsichtiger und negativ zu formulieren, die Möglichkeit zu zeigen, daß es Gegenargumenten weniger ausgesetzt ist als andere Prinzipien, also die Möglichkeit eines komparativisch verstandenen Irrelativismus.

Dieser Frage werde ich mich erst in der nächsten Vorlesung zuwenden. Aber ich werde jetzt das Problem der internen Begründung innerhalb einer vorgegebenen Moralkonzeption in demselben Geist angehen. Diese komparativische Zugangsweise ist ja auch die bei der Begründung einer empirischen Theorie übliche. Auch da ist die Frage nicht, ob die Theorie wahr oder falsch ist, sondern ob eine Theorie einer anderen überlegen ist, und wenn wir das gezeigt zu haben glauben, geben wir dieser Theorie gleichwohl keinen absoluten Status, sondern erwarten, daß sie ihrerseits in der Zukunft durch eine abermals besser begründete Theorie abgelöst werden wird. Wieso erscheint es abwegig, sich die

Begründung moralischer Normen ähnlich vorzustellen? Die Antwort scheint klar: Eine wissenschaftliche Theorie ist empirisch; es sind neue Erfahrungen, die eine Theorie entkräften und das Bedürfnis für eine bessere, umfassendere Theorie wecken. Moralische Überzeugungen hingegen, ganz gleich mit welchem Begründungsprädikat sie sich artikulieren, betreffen keine empirischen Tatsachen und scheinen daher auch nicht von der Erfahrung abzuhängen. Sie erheben einen nicht-empirischen und in diesem Sinn einen absoluten Anspruch.

Auf der anderen Seite erscheint es gleichwohl naheliegend zu sagen, daß wir aus der Erfahrung moralisch lernen können, sowohl individuell wie kollektiv. Man meint doch z. B., daß eine Person auf Grund langjähriger Erfahrungen moralisch weiser werden kann. Und man stellt sich auch vor, daß z. B. eine Nation im Laufe ihrer Geschichte einen moralischen Lernprozeß durchmachen kann, z. B. mit Bezug auf die Weisheit ihrer Verfassung. Aber wenn solche Vorstellungen sinnvoll sein können, muß die Struktur dieser Lernprozesse offenbar von anderer Art sein als die Struktur dessen, was man normalerweise als Lernprozeß bezeichnet, eines Lernprozesses, der sich auf Tatsachen bezieht und darin besteht, daß man empirische und gegebenenfalls kausale Regelmäßigkeiten lernt bzw. überprüft.

Das also ist die Frage, die ich in dieser Vorlesung erörtern möchte: Gibt es moralische Lernprozesse, also Prozesse, in denen sowohl Individuen wie soziale Gruppen ihre moralischen Überzeugungen nicht nur ändern, sondern so ändern, daß sie zu Auffassungen gelangen, die (wenigstens ihrer eigenen Auffassung nach) besser oder richtiger sind als die, die sie vorher hatten; und wenn es sie gibt – wie sind solche praktisch-moralischen Lernprozesse im Unterschied zu theoretischen Lernprozessen strukturell zu verstehen?

Es ist natürlich das, was ich den Absolutheitsanspruch der moralischen Urteile nannte, was der Möglichkeit einer moralischen Erfahrung zu widersprechen scheint. Deswegen liegt es nahe, die Meinung der historischen Subjekte, sie würden moralische Erfahrungen machen, als illusionär anzusehen. In Wahrheit, so sagt man, handelt es sich weder beim Einzelnen noch bei der Gesellschaft um einen Lernprozeß, sondern lediglich um eine Veränderung von einer moralischen Überzeugung zu einer anderen. Versteht man unter historischer Erfahrung die theoretische Beschäftigung mit den historischen Veränderungen, so scheint also die historische Erfahrung mit der Moralgeschichte zu dem Ergebnis zu führen, daß es eine spezifisch moralische Erfahrung nicht gibt.

Doch reicht natürlich die Konsequenz einer solchen historischen Betrachtungsweise weiter. Was aus dieser Perspektive als Illusion erscheint, ist nicht nur die Möglichkeit eines moralischen Lernprozesses, sondern als illusionär erscheint auch jede moralische Überzeugung an und für sich, der absolute Anspruch solcher Überzeugungen. Die theoretische Erfahrung mit der Geschichte der Moral scheint zum Relativismus zu führen, also zur Entlarvung der Moral überhaupt. Der Relativismus ergibt sich zunächst schon aus der bloßen Beobachtung der Vielzahl sich gegenseitig widersprechender moralischer Überzeugungen, die sich in der Geschichte finden und die jede für sich mit einem absoluten Anspruch auftreten. Der historische Relativismus gewinnt aber noch eine andere Qualität, in der er erst seinen eigentlichen Entlarvungseffekt erreicht, wenn es ihm gelingt, die verschiedenen moralischen Überzeugungen durch Kausalerklärungen auf anderes zurückzuführen. Erst dann haben wir nicht nur eine sich gegenseitig in Frage stellende Pluralität, sondern eine echte Relativität, indem gezeigt wird, daß, was aus der Innensicht der Handelnden einen absoluten Sinn zu haben scheint, relativ ist auf bestimmte, z. B. sozio-ökonomische Bedingungen. Und was aus der Innensicht als moralischer Lernprozeß erscheint, wird jetzt erklärt als eine bloße Veränderung, bedingt durch eine Veränderung der Umwelt. Eine solche Kausalerklärung hat ihrerseits die

Qualität einer spezifisch theoretischen Erfahrung, indem sie sich auf Regelmäßigkeiten stützt, die sie in der Korrelation zwischen bestimmten moralischen Überzeugungen und ihren nicht-moralischen Bedingungen feststellt.

Das Ergebnis dieser ersten Orientierung wäre also, daß die Möglichkeit einer spezifisch moralischen Erfahrung sich uns aus beiden Perspektiven zu entziehen scheint. Gehen wir von der Innensicht aus, also vom eigenen Sinn der moralischen Überzeugungen, so ist es schwierig zu sehen, wie der absolute Anspruch der moralischen Urteile eine Begründung durch Erfahrung zulassen könnte. Gehen wir andererseits von der theoretischen Erfahrung mit der Geschichte aus, scheinen wir zu einem Relativismus zu gelangen, der schon den Absolutheitsanspruch der moralischen Überzeugungen zu Fall bringt und als Folge davon auch die Möglichkeit eines moralischen Lernprozesses. Dieser Folge-Zusammenhang freilich, daß der Relativismus eine moralische Erfahrung deswegen ausschließt, weil er dem Absolutheitsanspruch der Moral widerspricht, zeigt, daß wenigstens zwischen diesem Absolutheitsanspruch und der Möglichkeit moralischer Lernprozesse kein schlichter Widerspruch bestehen kann, ja daß die moralische Erfahrung einen bestimmten Absolutheitsanspruch – wenn wir ihn nur richtig fassen können – zu implizieren scheint.

Um unsere Problematik angemessen angehen zu können, scheint es mir erforderlich, zwischen zwei Perspektiven zu unterscheiden, in denen man moralische Probleme erörtern kann, auf der einen Seite die Perspektive der 1. und 2. Person und auf der anderen Seite die Perspektive der 3. Person. Auf diese Unterscheidung habe ich eben schon angespielt mit der Unterscheidung zwischen einer Innensicht und einer Außensicht. Für die Aussagen, die aus der Perspektive der 3. Person, also in der Außensicht über Moral gemacht werden, ist es charakteristisch, daß die Personen, die bestimmte moralische Überzeugungen haben, im Subjektausdruck einer solchen Aussage genannt werden und ihre Überzeugungen in indirekter Rede erscheinen, also z. B.: »Die Person X oder die Gruppe X glaubt, daß das und das gut ist, weil . . .«, und dieses »weil« bezieht sich auf die Ursache ihrer Überzeugung. Wenn ich hingegen in 1. Person spreche, ist es nicht erforderlich, daß ich auf meine Person explizit Bezug nehme, und in der Aussage wird eine moralische Überzeugung nicht in indirekter Rede genannt, sondern einfachhin zum Ausdruck gebracht, z. B. »Das und das ist gut«, und wenn ich jetzt mit einem »weil« fortfahre, bezieht sich dieses »weil« nicht auf die Ursache, warum ich diese Überzeugung habe, sondern auf einen Grund für den Inhalt dieser Überzeugung.

Mit Bezug auf eine andere Person habe ich die zwei Möglichkeiten, entweder über sie oder mit ihr zu sprechen. Spreche ich mit ihr, also in 2. Person, ist die Perspektive dieselbe, wie wenn ich in 1. Person spreche: die Überzeugung, die die andere Person zum Ausdruck bringt, erscheint dann als eine mögliche Überzeugung von mir; ich muß sie entweder übernehmen oder zurückweisen; und wenn wir beide Gründe und Gegengründe anführen, sind es Gründe und Gegengründe für ein und denselben Überzeugungsinhalt. Mein Vorhaben, das Wissen um die Geschichte der Moral in die moralische Reflexion selbst zu integrieren, setzt voraus, daß es gelingt, die Perspektive der 3. Person in die der 2. Person zu verwandeln, so daß sie mit der Perspektive der 1. Person zu verbinden ist. Wie das möglich ist, wird erst am Ende dieser Vorlesung sichtbar werden. An der jetzigen Stelle begnüge ich mich mit den folgenden Behauptungen: Der Relativismus erscheint als eine vergleichsweise einfache Position gegenüber der Moral nur, solange wir uns auf andere beziehen, denn dann haben wir die Alternative, in 2. oder 3. Person zu reden. Mit Bezug auf sich selbst gibt es zwar viele Leute, die sich für Relativisten halten, es erscheint mir aber sehr schwierig, wirklich ein moralischer Relativist zu sein, denn das hieße, überhaupt keine moralischen Meinungen zu haben. Daß man moralische Meinungen haben könnte, von denen man zugleich meinen kann, daß sie relativ sind, ist nicht möglich, denn damit wären sie als Meinungen disqualifiziert. Wir können über unsere moralischen wie über unsere theoretischen Meinungen sehr unsicher sein, aber wenn wir sicher sind, daß sie keinen objektiven Anspruch erheben, können wir sie nicht mehr aufrechterhalten. Ein wirklicher moralischer Relativist dürfte also, außer in indirekter Rede, kein moralisches Vokabular mehr verwenden. Er dürfte sich nur noch in Sätzen äußern, die nur subjektive Vorzugswörter wie »es gefällt mir« enthalten, und er könnte also auch nicht mehr die Forderungen an andere stellen, die, wie wir gesehen haben, für soziale Normen konstitutiv sind.

Lassen wir also den Relativismus erst einmal beiseite, nehmen wir die Perspektive der 1. und 2. Person ein und fragen wir uns aus dieser Perspektive, wie die Möglichkeit und Struktur eines moralischen Lernprozesses verstanden werden könnte. Wir haben schon gesehen, daß, was einen moralischen Lernprozeß schwer verständlich erscheinen läßt, der absolute Anspruch der moralischen Überzeugungen ist. Es scheint also von der Art, wie dieser absolute Anspruch genauer verstanden wird, abzuhängen, ob es für das entsprechende Moralverständnis die Möglichkeit eines moralischen Lernprozesses gibt. In der 1. Vorlesung habe ich zu zeigen versucht, daß verschiedene Konzeptionen von Moral sich durch die verschiedenen Eigenschaften unterscheiden, die ihnen zufolge eine soziale Norm haben muß, um begründet zu sein. Es ist natürlich diese Eigenschaft, in der sich zeigt, wie von der jeweiligen Konzeption der absolute Anspruch ihrer moralischen Urteile verstanden wird.

Im jetzigen Kontext kommt es insbesondere auf die Unterscheidung zwischen zwei Klassen solcher Konzeptionen an. Die eine umfaßt die religiösen oder traditionalistischen Konzeptionen, für die eine soziale Norm durch göttliche Offenbarung bzw. Tradition begründet ist. Das relevante Prädikat ist, daß die Norm gottgewollt oder heilig oder dergleichen ist, und darin besteht dann der absolute Anspruch. Die andere Klasse umfaßt diejenigen Konzeptionen, für die eine soziale Norm dann begründet ist, wenn sie gut ist; wir haben gesehen, daß dieses Prädikat verschieden gedeutet werden kann. In einer Hinsicht bilden jedoch diese verschiedenen Bedeutungen eine einheitliche Klasse, die von den traditionalistisch-religiösen Konzeptionen deutlich unterschieden ist. Bei allen drei Bedeutungen von »gut«, die ich unterschieden habe, ist in der Bedeutung jeweils eine Bedingung enthalten, die eine Norm erfüllen muß, damit ihr dieses Prädikat zugesprochen werden kann, und es muß geprüft werden, ob die Norm diese Bedingung erfüllt. So muß z. B. in dem einen Fall geprüft werden, ob die Norm die Bedingung erfüllt, für alle gleichermaßen gut zu sein, in dem anderen Fall, ob sie die Bedingung erfüllt, für die Gemeinschaft gut zu sein.

Die Prädikate »heilig« und »gottgegeben« hingegen nennen nicht Bedingungen oder Prinzipien, auf die hin Normen zu überprüfen sind. Vielmehr kommen diese Prädikate in einer traditionalistischen Moral den Normen einfach zu. Obwohl die Normen dann begründet sind, wenn ihnen diese Prädikate zukommen, enthalten diese Prädikate doch kein Begründungsprinzip im Sinn eines Beurteilungsprinzips. Deswegen müssen die Normen in einer traditionalistischen Moral einzeln gelernt werden, sie lassen sich nicht generieren durch Anwendung eines Beurteilungsprinzips. Man kann die beiden Typen von Moral unterscheiden, indem man den ersten als autoritäre Moral, den zweiten als eine rationale Moral bezeichnet. Dabei hat das Wort »rational« freilich einen ganz schwachen Sinn. Es meint lediglich, daß man einen Grund dafür anführen kann, warum der Norm das Begründungsprädikat zukommt. Nun kann man innerhalb dieser Klasse von Moralkonzeptionen, die in diesem sehr schwachen Sinn rational sind, einen engeren Begriff von »rational« hervorheben, demzufolge eine solche Moral nur dann rational ist, wenn ihr Beurteilungsprinzip auf der Frage aufbaut, ob es für alle Individuen rational ist, den Normen zuzustimmen, und eine in diesem engeren Sinn rationale Moral ist natürlich nur die, in der das Begründungsprädikat »gleichermaßen gut für alle« ist. (Um mögliche Mißverständnisse zu vermeiden, erinnere ich daran, daß auch das nur eine Rationalität in einem vergleichsweise schwachen Sinn ist; sie impliziert nicht, daß das Handeln nach diesen Normen rational, das Zuwiderhandeln irrational ist.) Im folgenden werde ich mich innerhalb der in dem weiten Sinn rationalen moralischen Konzeptionen auf diese im engeren Sinn rationale Moral beschränken, für die »gut« besagt »gleichermaßen gut für alle«.

Jetzt kann ich zu der Frage nach der Möglichkeit eines moralischen Lernprozesses zurückkehren. Da der Absolutheitsanspruch, der in einer Moral enthalten ist, die durch Autorität begründet wird, nicht ein Prinzip enthält, das eine Anwendung der Urteilskraft erfordert, kann es hier auch keinen Lernprozeß durch Erfahrung geben. In einer solchen Konzeption haben alle Normen denselben absoluten Charakter. Sie bilden nicht ein System im engeren Sinn des Wortes, sondern einen Katalog. Sie sind aufzählbar und müssen additiv gelernt werden. Eine normative Ordnung dieses Typs ist natürlich charakteristisch für eine Gesellschaft, die aus der Innensicht statisch ist und insofern auch gar keine Perspektive für einen Erfahrungsprozeß hat.[8]

Ein moralischer Lernprozeß scheint also, wenn überhaupt, nur dort möglich zu sein, wo der absolute Anspruch der moralischen Urteile nicht den autoritätsbezogenen Sinn hat,

---

8 Bei dieser Gegenüberstellung zwischen den zwei Moralkonzeptionen habe ich die Sachlage übermäßig vereinfacht. Es ist durchaus denkbar, daß in einer autoritär begründeten Moral die Normen, die als gottgegeben oder dergleichen vorgegeben sind, ihrerseits relativ allgemeine Prinzipien darstellen, die zu ihrer Anwendung Urteilskraft erfordern. In dem Maß, in dem das der Fall ist, würde auch eine solche Moral eine in diesem weiten Sinn rationale Komponente enthalten und insofern auch für Lernprozesse offen sein. Darauf hat mich in Princeton Thomas Scanlon hingewiesen.

sondern ein Beurteilungsprinzip impliziert. Aber dies ist nur eine notwendige, nicht eine hinreichende Bedingung. Ein instruktiver Fall einer rationalen, aber statischen Moral ist diejenige Kants. Die Kantische Konzeption von Moral ist rational (ich sehe dabei natürlich von seiner eigenen ungewöhnlichen Verwendung des Wortes »Vernunft« ab) in dem eben unterschiedenen engeren Sinn. Denn sein kategorischer Imperativ besagt, daß eine Norm genau dann begründet ist, wenn alle ihr zustimmen können. Daß dies Kants Kriterium ist, läßt sich zwar nicht unmittelbar aus seiner klassischen Formulierung des kategorischen Imperativs ersehen, es liegt ihr aber letztlich zugrunde und wird daher auch bei Kant selbst in derjenigen Reformulierung des kategorischen Imperativs, die sich auf ein »Reich der Zwecke« bezieht, explizit.[9] Worauf es in unserem Kontext ankommt, ist, daß für Kant erstens der absolute Anspruch, der in diesem Prinzip liegt, darin besteht, daß es a priori gilt, und zweitens, daß er merkwürdigerweise meinte, daß auch die Normen, die sich aus diesem Beurteilungsprinzip generieren lassen, ihrerseits an dessen Apriorität teilhaben. Das heißt aber: Obwohl Kant auf der einen Seite sich von einer traditionalistischen Moral klar unterscheidet, insofern die moralischen Normen nicht einzeln als begründet vorgegeben sind und nicht enumerativ gelernt werden, sondern sich aus der Anwendung eines Urteilsprinzips ergeben, so war er doch der Meinung, daß diese Anwendung vollkommen einfach ist und ein für allemal durchgeführt werden kann, so daß ein abgeschlossener Normenkatalog zwar nicht am Anfang, aber doch am Ende steht. Deswegen gibt es für Kant keine Notwendigkeit für ein moralisches Überlegen und infolgedessen auch keine Möglichkeit für einen moralischen Lernprozeß.

Obwohl die Kantische Moral von einem Beurteilungsprinzip ausgeht, kann man doch sagen, daß sie in ihrem Gehalt

---

9 Vgl. Kant, *Grundlegung zur Metaphysik der Sitten*, in: Akademie-Ausgabe, Bd. 4, S. 438.

und ihrem statischen Wesen der traditionalistischen Moral noch nahesteht. Beide sind statisch und für beide ist es charakteristisch, daß den einzelnen Normen dieselbe Gewißheit zukommt wie dem Ausgangspunkt, dem sie ihre Gewißheit verdanken. Der Preis, den Kant für diese Rigidität zahlen mußte, besteht in der weitgehenden Unterdrückung des Problems der Normenkollision und darin, daß er den negativen Normen, also denjenigen, die eine Schädigung oder Freiheitsbeschränkung der anderen verbieten, einen nicht nur relativen, sondern absoluten – keine Ausnahmen zulassenden – Vorrang vor allen positiven Normen (der Hilfeleistung) einräumte. Diese liberalistische Position der Nichtintervention – ein System von primär prohibitiven Normen – ist nicht eine notwendige Folge des kategorischen Imperativs als solchen, sondern (wenn man einmal von den sozialen und politischen Zusammenhängen absieht) eine Folge des Bedürfnisses, nicht nur das Moralprinzip, sondern die Moral im ganzen aus aller Kontamination mit der Empirie zu befreien (obwohl das Kant, wie man weiß, auch so nicht gelungen ist, aber er konnte sich auf diese Weise darüber leichter täuschen).

Das Beispiel Kants zeigt uns, wie in einer rationalen Moral die Beziehung zwischen Prinzip und konkreten Normen nicht gedacht werden darf, wenn es eine moralische Erfahrung geben können soll. Diese Beziehung darf nicht so gedacht werden, daß die konkreten Normen sich auf eine quasi-deduktive Weise aus dem Prinzip ergeben. Dieses negative Ergebnis läßt sich folgendermaßen positiv umformulieren: Wenn es eine moralische Erfahrung geben können soll, muß die konkrete Norm, und d. h. die Art, wie ein konkreter Fall moralisch beurteilt wird, das Ergebnis zweier Faktoren sein, dem vorausgesetzten Beurteilungsprinzip und der Erfahrung. Aber dann stellt sich natürlich sofort die Frage: Wie haben wir uns konkret den Zusammenhang zwischen Prinzip und Erfahrung zu denken?

Der einfachste Fall, auf den ich nur eingehen will, um ihn

nachher beiseitezulassen, ist der eines Syllogismus, der aus einem Obersatz besteht, der eine moralische Norm zum Ausdruck bringt, und einem oder mehreren Untersätzen, die empirisch sind. Der Obersatz ist ein normativer Satz, in dem ein bestimmter Sachverhalt, z. B. ein Zustand der Gesellschaft, als gut oder gerecht bezeichnet wird, während im Untersatz behauptet wird, daß die und die Mittel und die und die Handlungen geeignet sind, diesen Zustand herbeizuführen. Der Schlußsatz eines solchen Syllogismus hat dann die Form, daß – »infolgedessen« – so gehandelt werden soll. Der Syllogismus besteht also aus einer normativen Prämisse, einer oder mehreren empirischen Prämissen und einer normativen Conclusio. Nun ist es charakteristisch für diesen ersten Typ von Verbindung zwischen Normen und Erfahrung, daß die Komponente der Erfahrung rein theoretisch bleibt. Wir alle wissen, daß unsere konkreten moralischen Urteile weitgehend von unseren empirischen Kenntnissen abhängen. Ja man kann sagen, daß es in einer rationalen Moral (im weiten Sinn) eine moralische Pflicht ist, einen konkreten Fall nicht moralisch zu beurteilen, bevor man alle seine deskriptiven und kausalen Aspekte so gründlich wie möglich kennengelernt hat. Und es ist klar, daß in dem Maße, in dem sich unsere empirische Kenntnis verbessert, sich auch unser konkretes moralisches Urteil verbessert. Aber es ist ebenso klar, daß, wenn das alles ist, es sich um eine sehr schwache Form handeln würde, von einem moralischen Lernprozeß zu sprechen, weil der Zuwachs an Erfahrung in diesem Fall lediglich ein Zuwachs an theoretischer Erfahrung wäre: unsere moralischen Überzeugungen sind in diesem Fall lediglich durch das bestimmt, was im Obersatz ausgesagt ist, und werden in ihrem eigenen Gehalt durch den Zuwachs an Erfahrung nicht verändert. Von einem spezifisch moralischen Lernprozeß möchte ich nur reden, wenn die Erfahrungskomponente nicht nur die Funktion hat, die abstrakte Norm in einem deduktiven Mechanismus konkret anwendbar zu machen, wenn sie also nicht nur die Mittel betrifft, sondern wenn sich durch die Erfahrung der Gehalt der moralischen Überzeugungen selbst ändert. Das hieße, daß die moralische Beurteilung einer konkreten Situation nun nicht mehr aus zwei voneinander unabhängigen Komponenten bestünde, einer normativen und einer empirischen Komponente. Es hieße also, daß die Struktur dieser Erfahrung sich nicht mehr an einem syllogistischen Modell erläutern ließe.

Wie müssen wir uns die Struktur der moralischen Erfahrung in dem jetzt bezeichneten engeren Sinn denken? Einen ersten Hinweis finde ich bei Hare in seinem Buch *Freedom and Reason* (Oxford 1963, § 3). Nach Hare sieht der moralische Reifungsprozeß eines Individuums so aus, daß es von sehr allgemeinen moralischen Normen ausgeht und diese immer konkreter werden. Nach Kant hatten alle einzelnen moralischen Normen einen sehr allgemeinen Charakter wie z. B. die Norm »Man soll nicht stehlen«. Es war dieser allgemeine Charakter auch der einzelnen Regel, der es möglich machte, sie aus dem obersten Prinzip auf eine quasideduktive und endgültige Weise zu gewinnen, wobei die Erfahrung scheinbar keine Rolle spielte. Nach Hare müssen wir nun aber zwischen dem universellen und dem generellen Charakter einer moralischen Regel unterscheiden. Jede, auch die konkreteste moralische Regel ist universell in dem Sinn, daß, wenn in einem konkreten Fall gesagt wird, so oder so soll gehandelt werden, impliziert ist, daß man dasselbe in jedem anderen Fall, der diesem in allen relevanten Aspekten gleich ist, ebenfalls fordern müßte. Aber diese Universalität ist nicht Generalität im Sinne einer generischen Allgemeinheit, die viele verschiedenartige Fälle unter sich faßt. Die moralische Realität ist so komplex, daß man immer neue Regeln bilden muß, und das nicht nur, weil die Realität lediglich in ihren theoretisch-deskriptiven Aspekten komplex wäre, vielmehr ist es eine spezifisch moralische Komplexität, da es sich bei einer Entscheidung darüber, was unparteiisch ist, um verschiedenartige Interessen und einen

Normenkonflikt handelt. Bei einem Normenkonflikt, wie z. B. dem Konflikt zwischen der Pflicht zu helfen und der Pflicht nicht zu stehlen, gehen wir immer von generellen Normen aus, also solchen, die Kant bereits als die endgültigen ansieht, und suchen eine konkretere Norm, die dem konkreten Fall angemessen sein soll.

Dann stellt sich jetzt aber die Frage, welches die Struktur dieses Konkretisierungsprozesses ist. Es ist klar, daß es sich nicht mehr um eine syllogistische Ableitung handeln kann. Wenn ein Sachverhalt unter zwei oder mehr sich ausschließende Normen fällt, liegt es nahe, das erforderliche Vorgehen so zu beschreiben, daß zwischen diesen Normen abgewogen werden müsse. Diese unter Juristen beliebte Vorstellung hat etwas Zutreffendes im Blick und ist doch irreführend. Zutreffend ist sie insoweit, als in dem zu bildenden moralischen Urteil von keiner der einschlägigen Normen abgesehen werden darf, sondern alle mitberücksichtigt werden müssen. Doch ist die Vorstellung einer Abwägung deswegen irreführend, weil eine Abwägung ein gemeinsames Maß voraussetzt oder einen einheitlichen Bezugspunkt, von dem her zu entscheiden ist, wie weit jede der Normen zum Tragen kommen soll. Die Rede von einem Abwägen täuscht darüber hinweg, daß es, wenn es sich wirklich nur um ein Abwägen handeln würde, lediglich der Abwägende wäre, der über die Gewichtung subjektiv und arbiträr bestimmt, und so wird mit der Rede von einem Abwägen derjenige Maßstab verdeckt, der der in Wirklichkeit einzig relevante ist: das Prinzip der Unparteilichkeit bzw. der allgemeinen Zustimmungsfähigkeit. Dieses war bereits bestimmend für die Generierung der abstrakten Normen; wo diese Normen konfligieren, dienen die nunmehr einseitigen Normen der Urteilsfindung nur als Behelfsstützen; worauf das Urteil abzielt, ist eine dem konkreten Fall angemessene neue Norm, die sich nur durch Unparteilichkeit auszeichnet und durch Abgewogenheit nur insofern, als die richtige Gewichtung zwischen den Normen eben in der Unparteilichkeit bestehen muß.

Unparteiisch urteilen heißt: sich fragen, wie man von einem unparteiischen Standpunkt, der alle gleichermaßen berücksichtigt, das Problem zu lösen hat. Nun ist es wichtig, sich klarzumachen, wie diese Anwendung des Unparteilichkeitsprinzips strukturell zu verstehen ist. Dieses Prinzip ist nicht ein Satz, aus dem man etwas ableiten könnte; es bezeichnet nur einen Standpunkt, von dem aus man moralische Probleme zu beurteilen hat. Dieses Prinzip gibt lediglich eine Direktive für die Urteilskraft und kann nicht als Prämisse für eine Deduktion dienen. Es scheint also, daß Kant die Potenz seines Moralprinzips überschätzt hat, wenn er meinte, daß es eine Entscheidungsprozedur an die Hand gibt, daß man also dieses Prinzip auf eine beliebige Situation nur anzuwenden braucht und zu einem eindeutigen Ergebnis gelangt. Ich meine, das Unparteilichkeitsprinzip enthält kein Entscheidungsverfahren, es definiert lediglich eine Perspektive, von der aus zu urteilen ist, und das führt nicht, außer in den einfachsten Fällen, zu eindeutigen Ergebnissen. Die Anwendung dieses Prinzips ist unsicher und verweist daher in letzter Instanz auf die autonome Entscheidung des Urteilenden. Der Umstand, daß die Unparteilichkeit nicht ein Prinzip ist, aus dem sich mechanisch konkrete Normen ableiten lassen, hat manche Philosophen dazu geführt zu erklären, daß dieses formale Prinzip geradezu leer sei, und wenn man sagt, daß es kein moralisches Urteil ohne eine Komponente von Entscheidung gibt, gibt es Leute, die antworten: Wenn in letzter Instanz ein Rest von Ungewißheit und Entscheidung übrigbleibt, ist es dann nicht ebensogut, die moralischen Probleme von vornherein willkürlich zu entscheiden? Eine solche Auffassung verkennt den Sinn, den eine rationale Moral haben kann, und dieses Mißverständnis hat seine Wurzeln in der autoritären Moral, in der wir alle im ersten Stadium unseres Lebens aufgewachsen sind; für diese Moral ist es charakteristisch, daß die Normen nicht zweifelhaft sind und keine Urteilsautonomie des Individuums gefordert wird. Daher unsere Tendenz, die sich an

Kant gezeigt hat, das rationale Moralprinzip, das ein Urteilsprinzip ist, an ein deduktives Prinzip assimilieren zu wollen
und zu meinen, daß das Eingeständnis eines Rests von
Ungewißheit und Dezisionismus einer willkürlichen Entscheidung gleichkommt. Das Unparteilichkeitsprinzip hat,
obwohl es ein offenes Prinzip ist, den Absolutheitsanspruch, der für alle Moral charakteristisch ist – eine Objektivität, die nicht empirisch fundiert ist –, und auch die konkreten moralischen Aussagen, die das Ergebnis der Anwendung dieses Prinzips sind, haben diesen Absolutheitsanspruch, denn wenn sie ihn nicht hätten, wenn sie nicht
Objektivität beanspruchten, könnten sie auch nicht ungewiß
sein.

Ich komme damit auf den in unserem Kontext entscheidenden Wesenszug des moralischen Urteils, das auf Unparteilichkeit abzielt: daß es nämlich korrigierbar ist. Es scheint
klar, daß von einem möglichen Lernprozeß in der Moral nur
gesprochen werden kann, wenn unsere moralischen Urteile
falsifizierbar und also korrigierbar sind, und das aus ihrer
eigenen inneren Perspektive, also ihrem eigenen Sinn nach.
Der Umstand, daß die konkreten moralischen Aussagen auf
einer Beurteilung gründen und nicht auf einer Deduktion,
schließt aus, daß es hier Argumente gibt. Aber die
charakteristische Form eines Arguments gegen ein moralisches Urteil ist nicht, daß dieses auf einer falschen Deduktion beruht, sondern daß es einen relevanten Aspekt nicht
berücksichtigt hat. Da jedes im engeren Sinn rationale moralische Urteil auf Unparteilichkeit abzielt, aber natürlich auch
darauf, das praktische Problem adäquat, und d. h. allseitig
zu erfassen, führt das Zugeständnis, daß ein moralisches
Problem parteiisch oder auch sonst inadäquat, d. h. einseitig
beurteilt wurde, zur Zurücknahme des Urteils und verlangt
eine Wiederholung des auf Unparteilichkeit abzielenden
Urteilens, eine Wiederholung, die die bisher nicht berück-
sichtigten Aspekte mit einbezieht. Dieser Prozeß der Rück-
nahme und Wiederholung unter Einbeziehung neuer

Aspekte kann nun aber beliebig oft wiederholt werden, indem sich immer wieder neue Aspekte zeigen mögen, die nicht berücksichtigt worden waren, und so zeigt sich, wie es zu einem moralischen Lernprozeß kommen kann.

Versuchen wir uns die Struktur dieser moralischen Erfahrung wenigstens im Ansatz klarzumachen! Sie beruht offenbar auf einer jeweiligen Erweiterung der theoretischen Erfahrung, auf einer Erweiterung unserer deskriptiven Kenntnis der Sache, aber diese theoretische Erfahrung erscheint jetzt nicht wie in dem vorigen Fall als Prämisse einer Deduktion, sondern dient nur zur Erweiterung des Phänomenbereichs für ein neues Unparteilichkeitsurteil. Das neue Urteil ist das Ergebnis nicht einer Deduktion, sondern eines neuen Aktes der auf Unparteilichkeit abzielenden Urteilskraft und ist insofern das Ergebnis einer spezifisch moralischen Erfahrung. Die Bedingung dafür, daß es einen Lernprozeß dieses Typs geben kann, ist erstens, daß die moralische Einstellung sich auf ein Unparteilichkeitsprinzip gründet, und zweitens, daß dieses Prinzip als ein Urteilsprinzip und nicht als ein deduktives Prinzip verstanden wird. Das normative Prinzip, das einen solchen Lernprozeß möglich macht, kann nicht ein beliebiges sein, sondern es muß ein Adäquatheitsprinzip, und d. h. zugleich, was die Berücksichtigung der Betroffenen angeht, ein Unparteilichkeitsprinzip sein, weil nur eine normative Aussage, die Adäquatheit und gegebenenfalls Unparteilichkeit beansprucht, entkräftet werden kann durch den Hinweis auf übersehene Aspekte. In diesem Sinn hat das Unparteilichkeitsprinzip eine dynamische Struktur, die sich für die jeweiligen normativen Meinungen autodestruktiv auswirkt. Eine Erfahrung, einen Lernprozeß kann es überhaupt nur geben auf der Grundlage eines solchen Prinzips. Etwas Analoges gilt für die theoretische Erfahrung. Auch sie gründet sich auf ein dynamisches, autodestruktives Prinzip, das Prinzip der Regelmäßigkeit oder Gesetzmäßigkeit. In beiden Fällen ist es der universale Anspruch, der vorwärts weist, denn sobald sich zeigt, daß eine Aussage nur beansprucht, universal zu sein, und in Wirklichkeit beschränkt oder relativ ist, verliert sie ihre Gültigkeit und verweist auf eine andere Aussage, in der diese Beschränkung überwunden ist. In beiden Fällen handelt es sich also um einen Prozeß der Entrelativierung, einen Prozeß, der nur möglich ist, wenn ein universaler Anspruch vorgegeben ist und in dem Prozeß maßgebend bleibt. Jeder Lernprozeß – der moralische wie der theoretische – besteht in einem Prozeß der Entrelativierung. Aber es ist natürlich klar, daß es zwischen diesen beiden Typen von Erfahrung nur diese formale Analogie gibt; es handelt sich um zwei verschiedene universale Prinzipien, und deswegen hat die moralische Erfahrung auch eine andere Struktur als die theoretische Erfahrung: die Entrelativierung hat einen anderen Sinn.

Die Feuerprobe für eine Theorie empirischer moralischer Lernprozesse müßte darin bestehen, ob sie auch jene Erfahrung integrieren kann, die man in 3. Person über die kausalen Bedingungen einer moralischen Überzeugung machen kann. Am Anfang dieser Vorlesung habe ich auf dem Unterschied zwischen der Perspektive der 3. Person einerseits und der der 2. und 1. Person andererseits insistiert, und alles, was dann folgte, war aus dieser letzteren Perspektive gesehen. Aber diese kann sich als die entscheidende Perspektive nur behaupten, wenn es gelingt, die Perspektive der 3. Person in sie einzubeziehen. Ich meine nun, daß es gerade die Struktur der moralischen Lernprozesse ist, wie ich sie eben beschrieben habe, die diese Einbeziehung der Perspektive der 3. Person in die der 1. und 2. Person möglich macht.

Wir haben schon gesehen, daß das Ergebnis einer Kausalerklärung die Relativierung einer moralischen Überzeugung ist. Nun besteht natürlich die Möglichkeit, nicht nur die Überzeugungen von anderen einer solchen Kritik zu unterziehen, sondern auch die eigenen moralischen Überzeugungen. Wenn eine Person sich dessen bewußt wird, daß ihre moralischen Urteile relativ sind zu bestimmten Bedingungen, z. B. daß sie selbst bestimmte Interessen hat oder daß sie zu einer bestimmten sozialen Klasse mit bestimmten Interessen gehört, dann macht sie die moralische Erfahrung, daß die Urteile, die sie bis dahin für unparteiisch gehalten hat, in Wirklichkeit parteiisch sind, und dann sieht sie sich gezwungen, eine neue Perspektive einzunehmen, in der diese Parteilichkeit überwunden ist.

Diese Behauptung könnte leicht naiv erscheinen, da wir doch wissen, daß es nicht leicht ist, eine moralische Position aufzugeben, an die die eigenen, sei es individuellen, sei es Klasseninteressen gebunden sind. Aber das ist eine Schwierigkeit, die alle moralischen Lernprozesse betrifft. Auch wenn es sich nur darum handelt, auf Aspekte eines moralischen Problems aufmerksam zu werden, die man bisher nicht gesehen hat, ist die Schwierigkeit normalerweise keine bloß theoretische, sondern darin begründet, daß die neuen Aspekte einen zwingen würden, eine vermeintlich unparteiische Auffassung aufzugeben, die sich durch die neuen Aspekte als bedingt von eigenen Interessen erweist. Und daran liegt es natürlich, daß relevante moralische Lernprozesse immer gegen subjektive Widerstände erfolgen und entsprechend selten sind. Andererseits kann man nicht bestreiten, daß solche Lernprozesse manchmal vorkommen und daß es moralische Argumente gibt. Das Thema dieser Vorlesung ist nicht, in welchem Ausmaß solche Argumente wirksam werden, sondern nur, welches ihre Struktur ist. Was also in der Tat naiv wäre, wäre zu meinen, daß es uns leicht fällt, Kausalerklärungen auf die eigenen Überzeugungen anzuwenden. Es ist gerade deswegen nicht leicht, weil sie zu einer Entwertung der eigenen Überzeugungen führen, indem sie die Interessenabhängigkeit der eigenen Vorstellungen von Gerechtigkeit usw. sichtbar machen. Worauf es hier ankommt, ist nicht, ob es leicht ist, sondern daß und wie es möglich ist, und meine Behauptung war nicht, daß es leicht geschieht, sondern daß, *wenn* es jemandem gelingt, seine konkrete Auffassung von Unparteilichkeit zu relativieren, und wenn er an dem im engeren Sinn rationalen moralischen Standpunkt als solchem festhält, und d. h. die formale Idee von Unparteilichkeit nicht preisgibt, er sich gezwungen sieht, dieser Idee einen neuen Gehalt zu geben, in dem die Relativität, die seine Kausalerklärung sichtbar gemacht hat, überwunden wird.

Dasselbe gilt natürlich für eine Kausalerklärung in 2. Person. Wenn wir die moralische Auffassung eines anderen oder einer anderen sozialen Klasse mittels einer Kausalerklärung relativieren, können wir diese Auffassung als moralisch einseitig nur erweisen, wenn wir schon über eine neue, weniger einseitige, weniger parteiische Konzeption verfügen. Das zeigt, daß meine bisherige Beschreibung noch nicht ganz richtig war. Die Kausalerklärung an und für sich kann eine moralische Überzeugung nicht entwerten. Eine moralische Überzeugung, die Unparteilichkeit beansprucht, kann nicht dadurch relativiert werden, sie kann sich nicht schon dadurch als parteiisch erweisen, daß man zeigt, daß sie nur unter bestimmten sozio-ökonomischen Bedingungen entstehen konnte. Wenn man so vorginge, würde man die sogenannte *genetic fallacy* begehen, man würde den Nachweis der Relativität, der Bedingungen des Entstehens eines Urteils mit dem Nachweis der Relativität seiner Gültigkeit verwechseln. Eine Unparteilichkeit beanspruchende moralische Überzeugung kann nur durch eine ihrerseits moralische, und zwar umfassendere, weniger parteiische Auffassung relativiert werden. So kann z. B. der Nachweis, daß die frühbürgerliche Vorstellung von einem gerechten ökonomischen Verkehr als einem allgemeinen unbeschränkten Recht auf Vertragsfreiheit von bestimmten ökonomischen Interessen der kapitalistischen Klasse abhing, nur ein Indiz, aber noch kein Argument dafür sein, daß eine solche Konzeption von Gerechtigkeit moralisch einseitig und ungerecht war. Daß diese Konzeption von Gerechtigkeit ungerecht ist, kann nicht durch ihre Genese, sondern nur durch ihre

Konsequenzen gezeigt werden, und das Urteil, daß die Konsequenzen dieser Gerechtigkeitskonzeption ungerecht sind, setzt schon eine andere, umfassendere Konzeption von Gerechtigkeit voraus. Eine solche umfassendere Konzeption von Gerechtigkeit kann ihrerseits nur das Ergebnis von neuen Erfahrungen sein, die es ermöglichen, die Sache auch aus anderen Perspektiven zu beurteilen, und d. h. aus Perspektiven, die es ermöglichen, auf Aspekte aufmerksam zu werden, die für die Beurteilung der Unparteilichkeit der sozialen Situation relevant sind und von den Vertretern der vorhergehenden Konzeption übersehen worden waren.

Es gibt andere Aspekte der frühbürgerlichen Gerechtigkeitskonzeption, die durch eine umfassendere, z. B. sozialistische Konzeption nicht relativiert werden können, obwohl auch die Genese dieser anderen Aspekte – wie z. B. die sogenannten Menschenrechte – interessenbedingt war. Man kann sich natürlich leicht Bedingungen vorstellen, unter denen die Überzeugung, daß ein Staat ohne die Garantie dieser Rechte ungerecht ist, nicht zustandekommen würde oder, wie man es heute so weitgehend beobachten kann, wieder preisgegeben wird. Aber das Kriterium, ob es besser ist, diese Rechte zu erhalten und zu erweitern oder sie preiszugeben, besteht darin, ob der Standpunkt, der z. B. ihre Preisgabe empfiehlt, der moralisch umfassendere ist, d. h., ob er erstens an der Idee der Unparteilichkeit festhält und zweitens die früheren Überlegungen miteinbezieht, aber sie als einseitig erweist. Solange das nicht möglich ist, müßte man die neue Auffassung nicht als das Ergebnis eines moralischen Lernprozesses, sondern als eine Regression ansehen.

Die Reflexion auf die kausalen Bedingungen führt also noch nicht an und für sich zur Relativierung einer moralischen Überzeugung. Aber es wäre ebenso irrig, deswegen zu meinen, daß eine Kausalerklärung für die moralische Reflexion nichts leisten kann. Die Einbeziehung der Geschichte in die moralische Reflexion schon für eine *genetic fallacy* zu halten, kommt einer Verleugnung der Realität der moralischen Lernprozesse gleich. Diese sind wesentlich historisch, aber die historische Erfahrung gleitet ab in eine Erfahrung in 3. Person und begeht dann als bloß theoretische Erfahrung eine *genetic fallacy*, wenn sie die moralische Orientierung als solche preisgibt, die wesentlich eine Perspektive der 1. Person ist.

Diese ganze Beschreibung der moralischen Lernprozesse stand freilich unter einer dogmatischen Voraussetzung, nämlich daß moralische Normen dann begründet sind, wenn sie gut sind im Sinn von »gleichermaßen gut für alle«. Die Unparteilichkeit habe ich hier wie ein a priori feststehendes Prinzip vorausgesetzt. Aber sie ist es nicht. Sie ist ihrerseits historisch entstanden. Sollen wir sagen, auch sie sei aus einem historischen Lernprozeß hervorgegangen? Aber dann müßte es sich um einen Lernprozeß ganz anderer Art gehandelt haben. Auf diese Frage, wie sich eine Moralkonzeption als solche und gegenüber anderen begründen läßt, werde ich in der nächsten Vorlesung eingehen.

3. Moral und Kommunikation

Die Idee, daß so etwas wie Kommunikation für Moral und besonders für die Begründung unserer moralischen Überzeugungen wesentlich sein könnte, mag für amerikanische Ohren überraschend klingen. Sie hat, soweit ich sehe, in den klassischen moralphilosophischen Strömungen keinen Vorläufer, obwohl sie eng mit der kontraktualistischen Tradition in der politischen Philosophie zusammenhängt. Ich weiß nicht, ob es Vertreter einer solchen Konzeption in der gegenwärtigen amerikanischen Philosophie gibt. In Deutschland hingegen wird sie heute (und das geschah zum Teil unter amerikanischem Einfluß, der Pragmatisten und besonders G. H. Meads) von einer ganzen Reihe von Philosophen vertreten. Der in meinen Augen wichtigste ist Jürgen Habermas. Ich werde deswegen die Exposition dieses

Themas auf eine Auseinandersetzung mit seiner Position aufbauen.

Als erstes muß ich etwas darüber sagen, was hier mit »Kommunikation« gemeint ist, sodann will ich die zwei Stellen in der Erörterung von Moralität, die ich in meiner 1. Vorlesung gegeben habe, aufzeigen, an denen sich ein kommunikativer Aspekt aufzudrängen scheint.

Daß der kommunikative Ansatz in der Moralphilosophie so neu ist, könnte man damit in Zusammenhang bringen, daß die Philosophie erst in diesem Jahrhundert damit angefangen hat, ihre Themen mittels einer Reflexion auf die Sprache zu behandeln, daß sie das aber bisher so getan hat, daß sie lediglich eine Dimension der Sprache berücksichtigte, nämlich die semantische; wenn nun aber doch die Funktion der Sprache in der Kommunikation besteht, scheint die in der analytischen Philosophie praktizierte semantische Zugangsweise zum Thema Moral ein halbherziges Unternehmen zu sein; eine dem Wesen der Sprache angemessene sprachphilosophische Reflexion auf Moral müßte sich kommunikationstheoretisch verstehen. Ungefähr so würde Habermas die Situation darstellen. [10] Die semantischen Regeln der Sprache sind entweder durch kommunikative bzw. »pragmatische« Regeln zu ergänzen oder selbst als solche zu verstehen.

Ich glaube, daß hier Unklarheiten bestehen, die beseitigt werden müssen, wenn man der Frage, ob die Begründung moralischer Normen einen wesensmäßig kommunikativen Charakter hat, einen klaren Sinn geben will. Der Terminus »pragmatisch« hat eine unglückliche Geschichte. Bekanntlich wurde er im sprachphilosophischen Kontext im Anschluß an Charles Morris von Carnap eingeführt, um eine dritte Dimension der Sprachtheorie zu bezeichnen jenseits der syntaktischen und der semantischen Dimension, und zwar sollte diese dritte Dimension den *Gebrauch* der

---

10 Vgl. Habermas' Abhandlung »Was heißt Universalpragmatik?«, in: Karl-Otto Apel (Hrsg.), *Sprachpragmatik und Philosophie*, Frankfurt a. M. 1976, S. 174–272, bes. S. 206 ff.

sprachlichen Ausdrücke betreffen. Nun setzt eine solche Definition einer Disziplin als Pragmatik eine Konzeption von Semantik wie die von Carnap selbst voraus, derzufolge eine semantische Theorie die Bedeutung unserer sprachlichen Ausdrücke mittels einer Metasprache festlegt. Das impliziert aber nach meiner Meinung eine Unterbestimmung der Semantik, und d. h. eine Unterbestimmung dessen, was wir verstehen, wenn wir die Bedeutung eines sprachlichen Ausdrucks verstehen. Da es unmöglich ist, dieses Problem im jetzigen Kontext angemessen zu diskutieren, will ich einfach dogmatisch behaupten, daß man einen sprachlichen Ausdruck genau dann versteht, wenn man seinen Gebrauch versteht. »Nun gut«, könnte mir jemand antworten, »dann haben Sie eben eine pragmatische Bedeutungstheorie.« Nun finde ich es gleichgültig, wie man etwas bezeichnen will, solange wir nur die Sachen weiterhin unterscheiden können, die unterschieden werden müssen. Folgt aus der eben angegebenen Bedeutung von »pragmatisch«, daß eine pragmatische Bedeutungstheorie eine kommunikative Theorie sein muß? Das wäre nur dann der Fall, wenn die Rede vom Gebrauch der sprachlichen Ausdrücke sich nur auf ihren Gebrauch in der Kommunikation beziehen könnte. Aber es ist klar, daß das falsch wäre, weil wir die Sprache nicht nur zur Kommunikation, sondern auch zum Denken verwenden. Wenn ich einen sprachlichen Ausdruck gebrauche, indem ich denke, hat er dieselbe Bedeutung, die er hat, wenn ich ihn verwende, um meine Gedanken einem anderen mitzuteilen. Die Art, wie Habermas den Terminus »pragmatisch« verwendet, impliziert eine ähnliche, obwohl nicht dieselbe Unterbestimmung der semantischen Dimension, wie sie bei Carnap vorliegt. Wenn wir den Terminus »pragmatisch« so verstehen, wie Habermas ihn versteht, d. h. so, daß eine pragmatische Theorie die Regeln des kommunikativen Gebrauchs der sprachlichen Ausdrücke zum Thema hat, dann kann eine Theorie, die diejenigen Regeln behandelt, die ihre Bedeutung bestimmen, nicht pragmatisch genannt werden.

Aber, so könnte man antworten, ist nicht der Gebrauch, den wir von den sprachlichen Ausdrücken im einsamen Denken machen, gegenüber ihrem kommunikativen Gebrauch parasitär? Das hängt davon ab, was man unter »parasitär« versteht. Ist damit gemeint, daß Sprache kommunikativ gelernt wird und daß wir alles, was wir zu uns selbst sagen können, auch zu anderen sagen können, dann ist der einsame oder, wie Habermas es nennt, der »monologische« Gebrauch der Sprache in der Tat parasitär. Aber wenn mit »parasitär« gemeint ist, daß die innere Rede darin besteht, daß wir innerlich eine Kommunikationshandlung nachahmen, dann ist das zurückzuweisen. Die Frage, um die es hier geht, ist nicht eine Frage der Genese oder der Wichtigkeit, sondern sie ist rein deskriptiv, sie betrifft die Unterscheidung zweier verschiedener Arten von Regeln.

Eine sprachliche Handlung ist eine kommunikative Handlung, wenn sie darin besteht, daß ein Sprecher (oder Schreiber) einem oder mehreren Hörern (oder Lesern) etwas zu verstehen gibt. Eine sprachliche Handlung ist nicht kommunikativ, wenn sie nicht darin besteht, daß jemandem etwas zu verstehen gegeben wird. Eine kommunikative Handlung kann innerlich nachgeahmt werden, indem man einen Dialog in der Phantasie durchspielt; in diesem Fall ist die Unterscheidung zwischen Sprecher und Hörer erhalten, obwohl in die Phantasie transponiert. Eine sprachliche Handlung hingegen, die einfach zum theoretischen oder praktischen Denken verwendet wird, hat nicht den Sinn eines Zu-verstehen-Gebens, weder in der Realität noch in der Phantasie. In diesem Fall übernehme ich nicht beide Rollen, ich teile nicht etwas mir selbst mit. Die Sprecher-Hörer-Unterscheidung ist nicht mehr vorhanden. Es gibt natürlich Sätze, die nur in der Kommunikation verwendet werden können, Sätze, die für solche Sprechhandlungen verwendet werden wie z. B. Gratulieren oder Versprechen oder Bitten. Aber andere Sätze, z. B. Sätze, die einen Wahrheitsanspruch erheben, können auch einfach im Denken

verwendet werden. Keine Sprecher-Hörer-Unterscheidung
ist für ihren Gebrauch wesentlich.

Zur Vermeidung von Verwirrung schlage ich vor, die
Regeln, die denjenigen Gebrauch eines Satzes bestimmen,
bei dem es gleichgültig ist, ob er kommunikativ verwendet
wird oder nicht, semantische Regeln zu nennen, und diejenigen Regeln pragmatische, die über die semantischen hinaus
in einer Kommunikation befolgt werden müssen. Wenn nun
jemand auch die Regeln, die die Bedeutung bestimmen,
pragmatisch nennen will, werde ich mich nicht über Wörter
streiten. Es sollte klar sein, daß die These von Habermas,
daß das Verstehen und die Begründung moralischer Sätze
etwas wesensmäßig Kommunikatives ist, ihre Pointe verlieren würde, wenn wir die semantischen Regeln lediglich in
kommunikative umbenennen würden. Es mag ja der Fall
sein, daß Moralität etwas irgendwie wesensmäßig Kommunikatives ist, aber gerade damit sich das gegebenenfalls zeigen kann, muß es erst einmal als offene Frage formulierbar
sein. Wenn es so ist, muß sich das an dem spezifischen
Gegenstand der Moral zeigen und kann nicht mittels einer
Globalaussage über die angebliche Halbherzigkeit der
semantischen Zugangsweise zur Sprache vorausgesetzt
werden.

Eine solche Aussage müßte sich auch den Vorwurf gefallen
lassen, daß sie das Neuartige der sprachreflexiven Methode
in der Philosophie nicht verstanden hat. Denn es bedurfte
keiner besonderen Einsicht zu erkennen, daß die Funktion
der Sprache in der Kommunikation liegt; im Gegenteil war
gerade das die traditionelle Auffassung und ist nie bezweifelt
worden. Die Leistung der analytischen Philosophie besteht
darin, gezeigt zu haben, daß die Sprache nicht nur die
Funktion hat, die Mitteilung von Gedanken zu ermöglichen,
sondern daß das Denken selbst nicht außerhalb des
Gebrauchs von Sprache begriffen werden kann. Begriffe
verweisen wesensmäßig auf den Gebrauch sprachlicher Ausdrücke, und nur, wenn sich von einem Begriff zeigen läßt,

daß er nicht außerhalb eines kommunikativen Gebrauchs
eines sprachlichen Ausdrucks gedacht werden kann, wird es
sinnvoll sein zu sagen, daß der Begriff wesensmäßig kommunikativ ist. Das aber wird von der Natur des jeweiligen
Begriffs abhängen.

Ich gehe jetzt zu der zweiten der beiden Fragen über, die ich
vorweg klären wollte, zu der Frage, wo sich in der Beschreibung von Moralität, die ich in meiner 1. Vorlesung gegeben
habe, ein kommunikativer Aspekt aufzudrängen scheint. Ich
meine, an zwei Stellen.

Die erste findet sich in der allgemeinen Erklärung, die ich
von moralischen Überzeugungen gegeben habe. Eine moralische Überzeugung besteht nach meiner Erklärung in der
Überzeugung, daß eine soziale Norm, und d. h. eine sozial
sanktionierte reziproke Forderung, auf eine bestimmte
Weise zu handeln oder nicht zu handeln, begründet ist. Daß
die soziale Norm begründet ist, drückt sich je nach den
verschiedenen Konzeptionen des Begründetseins in verschiedenen Prädikaten aus: »gottgegeben« oder »gut für die
Gemeinschaft« oder »gleichermaßen gut für alle« usw. Da
nun die soziale Norm eine reziproke Forderung ist, ist sie
etwas wesensmäßig Kommunikatives. Aber daraus allein
folgt noch nicht, daß auch die moralische Überzeugung
etwas wesensmäßig Kommunikatives ist. Indem ich eine
moralische Überzeugung habe oder auch wenn ich sie ausdrücke (ich kann das im einsamen Denken tun), kommuni-
ziere ich nicht etwas, sondern urteile oder behaupte etwas
über die generalisierte kommunikative Praxis, in der die
Norm als reziproke Forderung besteht.

Auch die Begründung der moralischen Überzeugung scheint
nichts wesensmäßig Kommunikatives zu sein, solange sie
nur darin besteht, daß nachgewiesen wird, daß das Begründungsprädikat auf die Norm zutrifft. Natürlich haben wir
eine kommunikative Situation, wenn zwei Personen darüber
diskutieren, ob das relevante Prädikat auf eine bestimmte
Norm zutrifft. Aber die Argumente, die in so einer Diskus-

sion ausgetauscht werden, sind nichts wesensmäßig Kommunikatives, da sich ebensogut eine Person allein mit ihnen beschäftigen kann. Es wäre eher überraschend, daß die Begründung eines Aussagesatzes etwas wesensmäßig Kommunikatives sein soll.

Nun scheinen wir aber vor einer anderen Situation zu stehen, wenn zwei Personen sich nicht nur darüber streiten, ob das relevante Prädikat auf die Norm zutrifft, sondern darüber, welches Prädikat relevant ist, und d. h., was für eine Eigenschaft eine Norm haben muß, damit es begründet ist, sich einer Norm zu unterwerfen und von anderen fordern zu dürfen, daß sie sich ihr unterwerfen. Hier ergeben sich Fragen wie: »Wie kannst du mir gegenüber begründen, daß du verlangst, daß ich mich dieser Norm unterwerfe?« Die Begründung, um die es hier geht, ist nicht die Begründung einer Aussage, sondern die Begründung einer gemeinsamen Praxis. Sie betrifft die Gründe, die Personen dafür haben und sich wechselseitig dafür geben können, daß sie mit Bezug aufeinander in bestimmter Weise handeln. Die Begründung in diesem Sinn könnte etwas wesensmäßig Kommunikatives sein; es könnte sein, daß »begründen« hier so viel heißt wie »etwas *gegenüber jemandem* begründen (rechtfertigen)«. Sollte sich das als richtig herausstellen, würde sich eine Erklärung abzeichnen, warum die verschiedenen traditionellen Moraltheorien auf den kommunikativen Aspekt nicht reflektiert haben: nicht weil sie nicht auf Sprache reflektiert hätten oder, sofern sie auf die Sprache reflektierten, nur auf die Semantik reflektierten, sondern weil sie alle nur eine Moralkonzeption mit einem Begründungsprädikat im Auge hatten und das Problem, wie man begründen kann, daß ein bestimmtes Prädikat als das relevante Begründungsprädikat akzeptiert wird, nicht gesehen haben.

Die zweite Stelle, an der sich in meiner Darstellung von Moralität etwas wesensmäßig Kommunikatives angezeigt haben mag, steht im Zusammenhang mit derjenigen Kon-

zeption von Moralität, die ich favorisierte, ohne diese Wahl
schon zu begründen, der Konzeption, derzufolge eine
soziale Norm dann begründet ist, wenn sie gleichermaßen
gut für alle ist. In diesem Fall kann man vielleicht sagen, daß
das Begründungsprädikat einen wesensmäßig kommunikativen Begriff darstellt, weil man, statt zu sagen, daß eine
Norm gleichermaßen gut für alle ist, auch sagen kann, daß
alle ihr rational zustimmen können. Diese Idee einer universellen Zustimmung findet sich in verschiedenen Moraltheorien, die die Konzeption der Unparteilichkeit vertreten: Sie
ist bei Kant angedeutet, sie findet sich bei Rawls, und für
Habermas ist sie das entscheidende Kriterium.

Für Habermas ist das Kriterium des Begründetseins einer
Norm, daß alle sich auf sie in einem rationalen Diskurs
einigen würden. Mit »Diskurs« meint Habermas eine rationale Argumentation zwischen verschiedenen Menschen. Mit
diesem Terminus soll also zweierlei erfaßt sein: Erstens, die
Argumentation wird als eine kommunikative, zwischenmenschliche Handlung verstanden; zweitens, die Übereinstimmung, die zu erreichen ist, soll nicht eine nur faktische,
sondern eine rationale, auf Gründen basierende Übereinstimmung sein.

Habermas hat diese Auffassung vom Begründetsein von
Normen in eine allgemeine Wahrheitstheorie eingebettet,
die er als Konsenstheorie bezeichnet.[11] Die These dieser
Theorie ist, daß das Kriterium des Begründetseins sowohl
von empirischen Theorien als auch von moralischen Normen letztlich der Konsens sein soll, also die Übereinstimmung in dem einen Fall der wissenschaftlichen, im anderen
Fall der moralischen Gemeinschaft. So ist also Habermas der
Auffassung, daß die Sprache gerade auch in dem Bereich
wesensmäßig kommunikativ ist, in dem man dies am wenig-
sten erwartet hätte, denn, wie ich schon gesagt habe, sprach-

---

11 Vgl. Habermas' Abhandlung »Wahrheitstheorien«, in: Helmut Fahrenbach
(Hrsg.), *Wirklichkeit und Reflexion. Walter Schulz zum 60. Geburtstag*, Pful-
lingen 1973, S. 211–265.

liche Handlungen, die einen Wahrheitsanspruch enthalten,
scheinen nicht wesensmäßig kommunikativ zu sein.

Nun meint Habermas, daß Wahrheit bzw. die Begründung
von Wahrheit wesensmäßig kommunikativ zu verstehen ist.
Der Zusammenhang zwischen Verifikation oder Begründung auf der einen Seite und intersubjektiver Übereinstimmung auf der anderen ist natürlich traditionell und unkontrovers. Das Überraschende an der Auffassung von Habermas ist, daß die intersubjektive Übereinstimmung nicht die
Folge, sondern das Kriterium des Begründetseins einer Aussage sein soll.

Für empirische Aussagen scheint mir das offensichtlich
falsch zu sein. Das Begründungskriterium von empirischen
Aussagesätzen ist in den Verifikationsregeln enthalten, die
ihre Bedeutung ausmachen. Wahrheit und Verifikation sind
semantische Begriffe. Die Anwendung der relevanten
Regeln ist nichts wesensmäßig Kommunikatives. Und daß
verschiedene Personen, wenn sie so einen Satz begründen,
zu einer Übereinstimmung kommen, beruht einfach darauf,
daß sie alle dieselben Begründungsregeln anwenden. Die
entgegengesetzte Auffassung, derzufolge die Übereinstimmung selbst das Kriterium des Begründetseins ist, ist dem
Einwand ausgesetzt, daß nicht die faktische Übereinstimmung maßgebend sein kann, sondern nur eine qualifizierte
Übereinstimmung.

Habermas hat diesen Einwand berücksichtigt,[12] aber die
beiden Antworten, die er auf ihn gibt, erscheinen mir unbefriedigend. Natürlich, sagt er, muß es sich um eine qualifizierte Übereinstimmung handeln, um eine Übereinstimmung, die sich auf Argumente gründet. Wenn aber die
Übereinstimmung sich auf Argumente gründet, auf die relevanten Gründe, bilden eben, so würde ich meinen, die
Gründe die Grundlage für das Begründetsein der Aussage,
und nicht die Übereinstimmung. Habermas versucht diesem

---

12 Vgl. ebd., S. 239 f.

3. Moral und Kommunikation   117

Entweder-Oder auszuweichen, indem er behauptet, daß es
etwas gibt, was er als Logik der Argumentation bezeichnet,
und daß die Regeln der Argumentation wesensmäßig kommunikativ sind. Er hat aber nie angegeben, worin diese
Regeln bestehen, und ich bezweifle, daß es solche Regeln
gibt. Es ist richtig, daß die Geschichte der empirischen
Wissenschaft ein kommunikativer Prozeß ist, aber wo es in
diesem Prozeß Schritte gibt, die nur als das Ergebnis einer
Übereinstimmung angesehen werden können, sind das
gerade Schritte, die nicht durch Regeln bestimmt sind und
nicht rational begründet werden können. So zeichnet sich
eine Sachlage ab, deren Konturen im Kontext der Moral sich
noch verschärfen werden, daß wir nämlich, so weit eine
Rechtfertigung durch Gründe reicht, in der semantischen
Dimension bleiben, und daß, sobald etwas irreduzibel Kommunikatives auftritt, dies nicht mehr eine Sache der Argu-
mentation, sondern der Entscheidung ist, nicht mehr etwas
Kognitives, sondern etwas Voluntatives.
Habermas versucht die Qualifikation der Übereinstimmung
noch auf eine zweite Art zu bestimmen. Eine rationale
Übereinstimmung soll sich von einer irrationalen dadurch
unterscheiden, daß der Diskurs, dessen Ergebnis sie ist, die
Bedingungen einer »idealen Sprechsituation« erfüllt.[13] Diese
Bedingungen sollen Symmetriebedingungen zwischen den
Sprechern sein. Alle, die am Diskurs teilnehmen, sollen die
gleiche Chance zum Reden haben, niemand soll ein besonderes Privileg haben, daß seine Behauptungen nicht in Frage
gestellt werden können, usw. Hier haben wir wirklich pragmatische Regeln, die nur in einer kommunikativen Situation
überhaupt einen Sinn haben. Es ist aber leicht zu sehen, daß
die Funktion dieser Regeln nur darin besteht, diejenigen
Verzerrungsmöglichkeiten auszuschalten, die sich speziell
ergeben können, wenn mehrere an einem Begründungsprozeß beteiligt sind. Das erklärt, warum diese Regeln nicht

13 Ebd., S. 252 ff.

internalisiert werden können, aber natürlich auch, warum sie
nicht internalisiert zu werden brauchen, weil sie nämlich die
Begründungsstruktur als solche gar nicht betreffen und nur
dazu da sind zu vermeiden, daß außer-argumentative pragmatische Faktoren, die nur eintreten können, wenn mehrere sich
am Begründungsprozeß beteiligen, auf diesen einwirken.
Ich komme also zu dem Ergebnis, daß die Konsenstheorie
als eine allgemeine Begründungstheorie unannehmbar ist.
Aber die Situation ist eine besondere bei der Begründung
von Normen, jedenfalls in dem speziellen Fall, wo das
Kriterium ihres Begründetseins darin bestehen soll, daß alle
ihnen rational zustimmen können. Während bei der Begründung einer theoretischen Überzeugung die Übereinstimmung eine bloße Konsequenz ist, ist es unbestreitbar, daß
bei der Begründung einer moralischen Überzeugung, jedenfalls wenn die Begründung auf diese Weise aufgefaßt wird,
eine Übereinstimmung in die Begründungsprozedur selbst
eingeht. Inwiefern die Sachlage in diesem besonderen Fall
eine andere ist als im allgemeinen Fall, kann man sich
dadurch klarmachen, daß wir in diesem besonderen Fall von
Übereinstimmung an zwei Stellen sprechen können: Erstens
nehmen wir an, daß, wenn die Überzeugung begründet ist,
jeder in genau derselben Weise mit ihr übereinstimmen wird
wie bei jeder anderen Begründung (das ist die Übereinstimmung, die ich als bloße Konsequenz bezeichnet habe); zweitens muß man nun aber von dieser Übereinstimmung jene
andere Übereinstimmung unterscheiden, auf die die Begründung selbst Bezug nimmt. Wenn ich mich im einsamen
Denken frage: »Ist diese Norm begründet?«, frage ich:
»Kann ich der universellen Befolgung dieser Norm zustimmen, und könnte ihr auch jeder andere zustimmen?« Ich
spiele also im Geist hypothetisch eine universelle Überein-
stimmungsprozedur durch, und daher könnte es scheinen,
daß die Begründungsprozedur angemessener wäre, wenn sie
nicht hypothetisch, sondern in einem wirklichen Diskurs
mit allen Betroffenen durchgeführt würde.

Wäre sie es wirklich? Der Grund, warum das zweifelhaft erscheint, ist natürlich, daß man auch hier fragen muß: Ist die Übereinstimmung, um die es geht, nur die tatsächliche Übereinstimmung (aller Betroffenen), oder muß auch sie in bestimmter Weise qualifiziert sein? Ich finde es klar, daß sie qualifiziert sein muß, aber in anderer Weise als im vorigen Fall. Dort zählte nur diejenige Übereinstimmung, die in der Befolgung der Begründungsregeln fundiert war; hier zählt nur diejenige Übereinstimmung, die sich aus den zwei Stufen zusammensetzt, durch die diese Konzeption von Moral definiert ist: jeder hat sich zu fragen, ob er der allgemeinen Geltung der Norm zustimmen kann mit Bezug auf sein Wohl, nur diese Zustimmung gilt als rationale Zustimmung; und zweitens hat er jedem anderen dasselbe Recht zuzugestehen, aber auch nicht mehr, und d. h., daß, wenn ein wirklicher Diskurs über das Begründetsein einer Norm stattfindet, die Teilnehmer nicht einfach ihre Interessen zur Geltung bringen können, sondern daß sie in ihrem Diskurs schon von der Idee der Unparteilichkeit ausgehen müssen; diese Idee ist nicht das Ergebnis, sondern die Voraussetzung eines solchen Diskurses. Die Voraussetzung eines solchen Diskurses ist, daß jeder bereit ist, sich hypothetisch in seinem Geist in die Position jedes anderen zu versetzen. Erstaunlicherweise hat Habermas dies zugestanden, indem er als eine Regel der idealen Sprechsituation die Bedingung aufgenommen hat, daß eine Symmetrie zwischen den Teilnehmern nicht nur hinsichtlich ihrer Redechancen bestehen soll, sondern hinsichtlich ihrer Handlungschancen, hinsichtlich ihrer Rechte »zu befehlen und sich zu widersetzen«.[14] Das heißt, daß die Kommunikation, die Habermas im Auge hat, Unparteilichkeit voraussetzt und sie nicht begründen kann. Es ist dann einfach vorausgesetzt, daß die Begründung von Normen darin besteht, sie als für alle gleichermaßen gut zu begründen, aber das wäre dann eine semantische Voraus-

14 Ebd., S. 256.

setzung bezüglich des Begründungsprädikats, die den hypothetischen idealen Diskurs ihrerseits erst fundiert.

Hier stellen sich zwei Fragen: Erstens, muß diese Voraussetzung von Unparteilichkeit, also die Voraussetzung, daß das relevante Begründungsprädikat »ist gleichermaßen gut für alle« ist, nicht ihrerseits begründet werden und möglicherweise kommunikativ begründet werden? Aber dann wäre das nicht eine Begründung in einer kommunikativen Rede, die ihrerseits schon die ideale Sprechsituation voraussetzen dürfte. Das betrifft meine Frage bezüglich der Möglichkeit einer Begründung von Moralität überhaupt und einer Entscheidung zwischen den verschiedenen Konzeptionen von Moralität. Auf diese Frage werde ich nachher zurückkommen.

Zweitens: Wenn die Begründung der konkreten Normen unter Voraussetzung der Unparteilichkeit einen Diskurs voraussetzt, der in bestimmter Weise qualifiziert ist, was bleibt dann von der Behauptung übrig, daß diese Begründung wesensmäßig kommunikativ ist? Wenn der moralische Diskurs voraussetzt, daß jeder Teilnehmer bereit sein muß, hypothetisch sich in die Lage jedes anderen zu versetzen, welchen Vorteil bietet dann ein solcher Diskurs gegenüber der Möglichkeit, daß eine Person den ganzen Begründungsprozeß auch in ihrem eigenen Kopf durchführen kann?

Eine mögliche Antwort, die Habermas selbst nahelegt, ist: Ein wirklicher Diskurs ist erforderlich, um sich aus erster Hand über die tatsächlichen Interessen aller Betroffenen zu informieren. Aber reicht das aus, um zu behaupten, daß die Begründungsprozedur kommunikativ sein muß? Ich will ein Beispiel geben: Unter den Kindern einer Familie ist ein moralisches Problem entstanden; die Mutter kommt dazu; sie läßt jedes Kind sein Interesse artikulieren, und dann entscheidet sie als wohlwollender und unparteiischer Beobachter, wie das Problem zu lösen ist. In diesem Fall hat sich, wie eben gefordert wurde, der moralische Begründungsprozeß aufgebaut auf Information aus erster Hand über die

Interessen, die im Spiel sind. Aber die Sprechhandlungen der Kinder dienten nur als Informations-Input. Die Begründungsprozedur selbst war nicht kommunikativ. War dabei etwas nicht in Ordnung? Nun, ich meine selbst, und ich nehme an, wir alle meinen, daß damit etwas nicht in Ordnung war, es sei denn es hat sich um sehr kleine Kinder gehandelt, und gewiß würden wir sagen, daß eine solche Prozedur bei der Institutionalisierung rechtlich sanktionierter Normen moralisch nicht zu rechtfertigen wäre.

Aber warum nicht? Warum meinen wir, daß die Betroffenen selbst darüber entscheiden müssen, unter welchen Normen sie zu leben haben? Was ist der Sinn dieses »müssen«? Es scheint mir klar, daß es sich nicht um eine Notwendigkeit handelt, die sich aus den Begründungsregeln ergibt, sondern um ein »müssen« in einem moralischen Sinn. Soweit es nur darum ging, zu einem optimal gerechten Ergebnis zu kommen, mit den bestmöglichen Gründen, war an der unkommunikativen Prozedur der Mutter nichts auszusetzen. Die Entscheidung, zu der sie kam, war wahrscheinlich, was den Inhalt betraf, besser begründet, als wenn die Kinder selbst zu einer Übereinstimmung gekommen wären. Und doch finden wir, nehme ich an, daß die Kinder für sich selbst hätten entscheiden sollen. Warum? Offenbar auf Grund einer moralischen Norm, die Entmündigung verbietet.

Diese Norm folgt aus dem hier vorausgesetzten Moralprinzip, daß nur das begründet ist, dem alle rational zustimmen können. Denn ich nehme an, daß keine rationale, überlegungsfähige Person zustimmen würde, daß man sie daran hindert, selbst darüber zu bestimmen, was gut für sie ist; sie kann natürlich andere um Rat bitten, aber sie wird doch eher bereit sein, in Kauf zu nehmen, sich über das, was für sie gut ist, zu irren, als sich das von jemand anderem zwangsweise vorschreiben zu lassen. Ich nehme also an, daß wir alle in diesem Sinn autonom sein, selbst über uns bestimmen wollen. Daraus folgt nun aber durch Universalisierung, daß wir alle wollen, daß es eine moralische Norm sei, daß es unerlaubt ist, anderen, auch wenn man meint, es besser zu wissen, vorzuschreiben, was gut für sie ist. Das ist es, was ich mit dem Verbot der Entmündigung meinte.

An dieser Stelle möchte ich eine Zwischenbemerkung einfügen. Es gibt Philosophen (Habermas ist übrigens einer von ihnen), die Moral von vornherein so definieren, daß sie sich auf solche Normen beschränkt, die zwischenmenschliche Interessenkonflikte regeln. Die Folge einer solchen Auffassung ist, daß die Möglichkeit, daß Normen moralisch begründet sein können, die Individuen vorschreiben, wie sie ihr eigenes Leben zu führen haben, per definitionem ausgeschlossen ist. Aber wie ich schon in der 1. Vorlesung sagte, sollten wir natürlich nicht Dinge durch Definitionen ausschließen, die wir moralisch ausschließen wollen. Es ist eine soziale Realität, daß Menschen immer und leider auch heute noch moralische Überzeugungen hatten und haben, die die eigene Lebensführung der Individuen, auch sofern kein anderer von ihr negativ tangiert wird, betreffen. Die weite Definition von Moralität, die ich in der 1. Vorlesung gegeben habe, läßt diese Möglichkeit zu und hat zur Folge, daß wir, wenn wir mit Menschen, die solche Überzeugungen haben, argumentieren, mit ihnen moralisch argumentieren werden, und nicht semantisch über die Bedeutung des Wortes »moralisch«, was natürlich ganz sinnlos wäre.

Aus dieser aus dem Prinzip der im engeren Sinn rationalen Moral sich ergebenden Norm, die gebietet, jede Person als ein sich selbst bestimmendes, autonomes Wesen zu achten, und daher verbietet, ihr vorzuschreiben, was für sie gut ist, folgt nun auch, daß, wo immer es erforderlich ist, über eine soziale Norm, im besonderen über eine Rechtsnorm zu entscheiden, die Einsetzung dieser Norm moralisch nur gerechtfertigt ist, wenn über sie kollektiv entschieden wird in einem Verfahren, an dem alle Betroffenen gleichmäßig beteiligt sind. Man kann das das Prinzip der kollektiven Autonomie oder kollektiven Selbstbestimmung nennen; was dieses Prinzip verbietet, ist die Entmündigung des Kollektivs. Dieser Norm zufolge ist es moralisch falsch, wenn eine Person oder eine Gruppe unter Berufung auf ihre höhere moralische Weisheit über die Köpfe der übrigen Betroffenen hinweg entscheidet, welche Rechtsnormen gelten sollen. Das also scheint der Grund zu sein, warum moralische Fragen und im besonderen Fragen der politischen Moral in einem Diskurs aller Betroffenen begründet werden müssen. Der Grund ist nicht, wie Habermas meint, daß der Prozeß der moralischen Begründung in sich wesensmäßig kommunikativ ist, sondern es ist umgekehrt: eine der Regeln, die sich aus dem moralischen Begründungsprozeß ergibt, der als solcher auch im einsamen Denken durchgeführt werden kann, schreibt vor, daß nur solche Rechtsnormen moralisch begründet sind, die auf Grund einer Übereinstimmung aller Betroffenen eingesetzt wurden.

Es zeigt sich also auch hier, daß der irreduzibel kommunikative Aspekt kein kognitiver, sondern ein voluntativer ist. Was einen tatsächlichen Akt der Übereinstimmung, der kollektiven Zustimmung erfordert, ist der moralisch gebotene Respekt gegenüber der Autonomie des Willens jedes Betroffenen. Und diese Übereinstimmung ist nun nicht mehr, wie in den beiden vorher betrachteten Fällen, eine qualifizierte Übereinstimmung. Gewiß wollen wir, daß die Übereinstimmung eine rationale sei, eine Übereinstimmung, die in Argumenten und womöglich in moralischen Argumenten fundiert ist, und doch ist, was letztlich entscheidend ist, die faktische Übereinstimmung, und man hat kein Recht, sie mit der Begründung, daß sie nicht rational gewesen ist, zu übergehen. Die zwei anderen Arten der Übereinstimmung waren nicht irreduzibel kommunikativ, sie hatten ihr monologisches Gegenstück; hier hingegen haben wir eine Handlung, die irreduzibel kommunikativ ist, und das, gerade weil es sich nicht um einen Akt der Vernunft, sondern um einen Akt des Willens handelt, um einen Akt kollektiver Entscheidung. Das Problem, um das es sich hier handelt, ist nicht ein Problem der Begründung, sondern das

Problem der Partizipation an der Macht, an derjenigen Macht, die darüber entscheidet, was legal erlaubt ist und was nicht. Man muß Habermas' Idee einer kommunikativen Ethik im Zusammenhang sehen mit der Idee der Demokratie und mit der Forderung einer Ausweitung dieser Idee auf alle gesellschaftlichen Teilbereiche, mit der Forderung nach Partizipation,[15] aber dabei hat die Zweideutigkeit in seiner Theorie zwischen einem hypothetischen Diskurs und einem realen Diskurs zu einer Vernachlässigung des voluntativen Faktors und damit des Problems der Macht geführt. Er hat übersehen, daß die hypothetische moralische Argumentation überhaupt nicht wesensmäßig ein wirklicher Diskurs ist, etwas mal Kommunikatives, und daher konnte er gleichzeitig, da die Verwendung des Ausdrucks »Diskurs« die Unterscheidung zwischen dieser hypothetischen moralisch-kommunikativen Argumentation und einem wirklich kommunikativen Diskurs verwischte, den moralisch geforderten nicht-rationalen, voluntativen Aspekt des wirklichen Diskurses unberücksichtigt lassen.

Nun glaube ich allerdings, daß noch ein wichtiger Aspekt in Habermas' intuitiver Konzeption vom kommunikativen Charakter der Moral enthalten ist, den ich bisher nicht berücksichtigt habe und den Habermas nicht explizit herausgestellt hat und den er so, wie er das Problem stellte, auch nicht herausstellen konnte. Wir haben jetzt gesehen, daß, wenn erst einmal die Konzeption der Unparteilichkeit, und d. h. der Universalisierbarkeit der rationalen Zustimmung vorausgesetzt ist, die Begründung unserer moralischen Überzeugungen nicht etwas wesensmäßig Kommunikatives ist und daß diese Begründung ihrerseits erst zu einer moralischen Norm führt, die die Institutionalisierung partizipatorischer Entscheidungsprozeduren anstelle von einseitigen Machtverhältnissen gebietet. Das, sage ich, ist die

15 Vgl. z. B. seinen Brief an Robert Spaemann, »Die Utopie des guten Herrschers«, in: Jürgen Habermas, *Kultur und Kritik*, Frankfurt a. M. 1973, S. 378–388.

Situation, wenn wir die Konzeption der Unparteilichkeit oder Universalisierbarkeit voraussetzen. Ich habe aber den Eindruck, daß Habermas wohl die weitere Idee hatte, daß wir überhaupt erst durch einen kommunikativen Prozeß zu der Konzeption von Unparteilichkeit kommen, und in der Tat: wenn von der Idee einer wesensmäßig kommunikativen Begründung der Moral noch etwas übrig bleiben soll, kann es nur hier liegen. Daß Habermas seine Konzeption nicht in dieser Richtung ausgearbeitet hat, liegt daran, daß er die kommunikative Situation, in der über die Begründung moralischer Überzeugungen diskutiert wird, durch die Bedingungen der idealen Sprechsituation definiert hat; da diese Bedingungen Unparteilichkeit bereits implizieren, konnte die so definierte Kommunikation nicht ihrerseits Unparteilichkeit begründen.

Die Frage, wie man eine Konzeption von Unparteilichkeit begründen kann, gehört natürlich in den weiteren Zusammenhang der Frage, wie man eine moralische Position überhaupt begründen kann und ob und wie zwischen den moralischen Konzeptionen rational zu entscheiden ist. Ich versuchte in meiner 1. Vorlesung zu zeigen, daß die verschiedenen Grundkonzeptionen von Moral sich durch die verschiedenen Prädikate unterscheiden, die ihnen zufolge auf eine Norm zutreffen müssen, damit man sie als begründet ansehen kann. Die Begründung einer moralischen Überzeugung innerhalb einer Moralkonzeption besteht in der Begründung des Wahrheitsanspruchs, der in der moralischen Überzeugung enthalten ist, die in einem Satz zum Ausdruck kommt, in dem das Begründungsprädikat auf eine Norm angewandt wird. Die Begründung der moralischen Konzeption selbst hingegen, so war meine These, hat nicht mehr den Sinn einer Begründung *von* (einer Aussage), sondern ist eine Begründung *für* das Eingehen einer intersubjektiven Praxis: begründet wird, daß, wenn einem normativen System das betreffende Prädikat zukommt, damit ein Grund dafür gegeben ist, sich ihm freiwillig zu unterwerfen und damit die Sanktionen zu bejahen, die es konstituieren.

Wie sieht nun so eine Begründung aus? Normalerweise so, daß an eine höhere Wahrheit appelliert wird, die das eigene Selbstverständnis betrifft. Es wird z. B. die höhere Wahrheit unterstellt, daß wir Kinder Gottes sind. Das vorausgesetzt, haben wir wirklich allen Grund, dasjenige normative System, das von Gott gegeben ist, praktisch zu bejahen. Oder es wird die höhere Wahrheit unterstellt, daß wir Glieder eines Organismus sind. Das vorausgesetzt, haben wir wirklich allen Grund, diejenigen Normen zu bejahen, deren Geltung für das Wohl dieses Organismus gut sind. Die praktische Begründung der Relevanz des jeweiligen Begründungsprädikats scheint sich also normalerweise so zu vollziehen, daß gezeigt wird, daß wir allen Grund haben, die so charakterisierten Normen zu bejahen, wenn wir uns selbst so und so verstehen.

Natürlich ist auch diese Begründung in keinem ersichtlichen Sinn kommunikativ. Wichtiger ist positiv festzustellen, daß eine solche Begründung offensichtlich immer relativ ist, sie rekurriert auf eine Voraussetzung. Diese Voraussetzungen habe ich als höhere Wahrheiten bezeichnet, weil es sich um nicht-empirische Sätze handelt, die nicht ihrerseits begründbar sind und also nur geglaubt werden können. Die durch sie gestützten jeweiligen Begründungsprädikate verlieren daher ihre Überzeugungskraft, sobald eine durch eine solche höhere Wahrheit bestimmte Tradition angezweifelt wird oder man auf andere Traditionen trifft und nun versucht, von anderen zu verlangen, daß sie sich den so begründeten Normen unterwerfen. Natürlich können Individuen oder partielle Gemeinschaften gleichwohl weiterhin an ihre höheren Wahrheiten glauben; diese lassen sich so wenig widerlegen wie begründen. Das Problem entsteht erst, sobald man moralische Forderungen, die sich aus provinziell evidenten höheren Wahrheiten ergeben, auch an andere stellt, die diesen Glauben nicht teilen. Es gibt in der Geschichte der

Begründung sozialer Normen ein entscheidendes histori-
sches Ereignis, das der Aufklärung, das dadurch charakterisiert ist, daß alle höheren Wahrheiten ihre intersubjektive
Überzeugungskraft verlieren. Dieses Ereignis, von dem ich
schon am Anfang dieser Vorlesungen ausgegangen war und
das unser heutiges Verhältnis zur Moral bestimmt, hat
natürlich zur Folge, daß die Frage, die ich die externe
Begründungsfrage genannt habe, die Frage nach der Begründung von Moralität überhaupt und der Auseinandersetzung
zwischen den Begründungsprädikaten, überhaupt erst sichtbar und zugleich unabweisbar wird.

Wenn nun alle höheren Wahrheiten, auf die die verschiedenen Begründungsprädikate verweisen, sich so wenig begründen wie widerlegen lassen, erweist sich die Idee einer rationalen Auseinandersetzung zwischen ihnen als illusorisch.
Solange die Begründungsprädikate auf höhere Wahrheiten
verweisen, kann sich nur ein schlichter Relativismus ergeben. Der einzige rationale Ausweg aus dieser Situation
besteht darin, auf Moralität entweder ganz zu verzichten
oder ein Begründungsprädikat zu suchen, das, ohne eine
höhere Wahrheit vorauszusetzen, einen Grund abgibt, sich
einem so charakterisierten normativen System freiwillig zu
unterwerfen. Auch eine solche Begründung ist nur relativ,
aber sie ist nun nicht mehr relativ zu einer höheren Wahrheit, sondern relativ zu der Alternative des vollständigen
Verzichts auf begründete soziale Normen. Der gemeinsame
Nenner dieser beiden verbleibenden Möglichkeiten sind die
eigenen Interessen der Individuen, das, was jeder mit Rücksicht auf sein Wohl und das Wohl derer, denen er affektiv
verbunden ist, will.

Erst an dieser freilich fundamentalen Stelle scheint der Sinn
der Begründungsprozedur selbst einen wesensmäßig kommunikativen Charakter anzunehmen. Die Individuen appel-
lieren gegenseitig aneinander, daß es in ihrem wechselsei-
gen Interesse liegt, sich auf eine normativ sanktionierte
Praxis zu einigen, derart, daß nur solche Normen zugelassen

sein sollen, deren Geltung für sie gleichermaßen gut ist. Dieser Einigungsprozeß kann nur zu Normen führen, die symmetrisch sind, weil der Hintergrund dieses Verständigungsprozesses ja die Alternative ist, daß es keine sozialen Normen gibt; daher hat keiner der Beteiligten eine normativ begründete bevorzugte Machtposition als Ausgangslage.

Nun können sich zwei Personen oder Gruppen A und B auf symmetrische Normen einigen, die auf Kosten von C usw. gehen. Dann entsteht, sofern nicht auf Gewalt rekurriert wird, dieselbe Frage aus der Perspektive von C usw., und so ergibt sich ein potentiell universeller kommunikativer Begründungsprozeß, in dem es nicht um die Begründung einer Aussage geht, sondern darum, daß jeder jedem anderen gegenüber darlegt, daß jener genauso wie er selbst Grund hat, sich einer Norm zu unterwerfen, wenn auch er es tut. Dieser Begründungsprozeß ist kommunikativ, weil nicht ein Wahrheitsanspruch begründet wird, sondern eine gemeinsame Praxis, ein gemeinsames Wollen. Die Aussage, daß es für alle gleichermaßen begründet ist, die Geltung von Normen zu wollen, wenn sie gleichermaßen gut für alle sind, ist das Ergebnis dieses kommunikativen Prozesses von reziproken Handlungsbegründungen.

Die Auszeichnung des Begründungsprädikats »gleichermaßen gut für alle« gegenüber den anderen Begründungsprädikaten besteht also darin, daß es für seinen praktischen Begründungssinn (daß man, wenn ein normatives System diese Eigenschaft hat, bereit ist, es zu wollen) nicht auf eine höhere Wahrheit verweist, genauer gesagt: nicht auf eine höhere Wahrheit verweisen muß; wenn dieses Prinzip wie bei Kant als vernunftgegeben (in einem höheren Sinn von »Vernunft«) einfach vorausgesetzt wird, hat es den Status einer höheren Wahrheit. Das muß aber nicht so sein, da es seinerseits in dem dargestellten kommunikativen Prozeß begründet werden kann, wobei diese Begründung nicht auf eine überempirische Wahrheit verweist, sondern auf empiri-

sche Sätze, die die Interessen von A, B, C usw. betreffen.
Diese Moralkonzeption gründet nicht mehr wie die anderen
Moralkonzeptionen auf einem höheren Glauben über das
Wesen des Menschen, sondern nur noch auf empirischen
Annahmen über grundlegende Minimalinteressen der Menschen mit Bezug auf ihren wechselseitigen Verkehr (wie
z. B., daß sie ein Interesse an der Institution des Verspre-
chens haben), Annahmen, von denen vorausgesetzt wird,
daß sie in einem universalen intersubjektiven Begründungsprozeß zugestanden werden und ansonsten einer empirischen Revision zugänglich sind.
Ich habe vorhin darauf hingewiesen, daß die übrigen Moralkonzeptionen nicht rational gegeneinander abgewogen werden können. Diejenige Moralkonzeption hingegen, die sich
in dem dargestellten kommunikativen Prozeß ergibt, der zu
der Orientierung an dem Begründungsprädikat »gleichermaßen gut für alle« führt, läßt sich hinsichtlich ihrer Begrün-
dungsstärke mit den anderen vergleichen: auch diese Moralkonzeption ist nicht voraussetzungslos, auch von ihr läßt
sich nicht sagen, sie sei an sich begründet, während die
anderen nur relativ begründet sind; wodurch sie sich auszeichnet, ist vielmehr einfach der Umstand, daß sie auf
schwächeren Prämissen beruht. Man kann daher die sich in
diesem Kommunikationsprozeß ergebende Moral als Minimalmoral bezeichnen. Man hat dieser Moral vorgeworfen,
daß auch sie eine Vorstellung von der Natur des Menschen
voraussetzt, aber diese Voraussetzung hat jetzt nicht mehr
den Charakter einer höheren Wahrheit; diese Moral
beschränkt sich (ihrer Intention nach; im einzelnen ist das
korrigierbar) auf solche Aspekte des menschlichen Selbstverständnisses, die von allen zugestanden werden, und das
ist entscheidend, wenn man Forderungen, die an alle zu
stellen sind, begründen will.
Diese Minimalmoral ist eine historisch späte Entwicklung,
die sich erst ergibt, wenn alle höheren Wahrheiten ihre
intersubjektive Glaubwürdigkeit verloren haben. Aber das

macht sie in ihrem Begründungsanspruch nicht historisch relativ. Vielleicht kann man sagen, daß nur, nachdem alle provinziellen Überzeugungen über höhere Wahrheiten auf-gegeben sind, die zwischenmenschliche Ursituation als sol-che sichtbar wird, die immer schon eine kommunikative Situation von reziproken Forderungen war und die daher auch nur genuin zu begründen sind in der Beantwortung reziproker Begründungsansprüche.

Daß diese Moral in dem Sinn eine Minimalmoral ist, daß sie auf schwächeren Prämissen beruht, heißt nicht, daß sie in ihren Konsequenzen schwach ist. Denn sie ist universal und fordert daher eine gleiche Berücksichtigung jedes Individu-ums. Das mag vielleicht nicht selbstverständlich scheinen. Kann man sich nicht eine Moral denken, die auf einer reziproken Begründung einiger weniger beruht? Natürlich kann ein solches normatives System als soziale Institution etabliert werden, es kann funktionieren, und es hat immer funktioniert. Aber die Frage ist, ob es begründbar ist, und wenn Begründbarsein heißt Begründbarsein gegenüber jedem, muß ein normatives System, das den Anspruch erhebt, in diesem Sinn (und d. h., ohne höhere Wahrheiten vorauszusetzen) begründbar zu sein, wenigstens den Anspruch erheben, unparteiisch zu sein. Nun kann dieser Anspruch zu Unrecht bestehen und besteht normalerweise zu Unrecht, aber das ist ein Problem, dem man nach den in meiner 2. Vorlesung skizzierten Gesichtspunkten Rechnung tragen kann. Ein normatives System, das gerecht im Sinn von unparteiisch zu sein beansprucht, ist wesensmäßig unstabil: es ist von sich aus dem Vorwurf ausgesetzt, daß es seinen eigenen Anspruch nicht erfüllt.

Aber, so könnte man antworten, müssen wir nicht unter-scheiden zwischen der Frage, ob ein normatives System begründet ist, und der, ob man gute Gründe dafür hat, es zu akzeptieren? In der Tat. Diejenigen, die auf der Sonnenseite eines politischen Systems leben, haben bessere Gründe, es in seiner Ungerechtigkeit zu erhalten, als es zu verändern.

Aber obwohl die, die die Macht haben, gute Gründe haben, ein parteiisches System zu bejahen, können sie das nicht offen tun, denn wenn sie von anderen verlangen, daß auch sie es bejahen, müssen sie, wenn sie nicht auf Gewalt rekurrieren wollen, wenigstens den Anspruch erheben, daß es begründet ist. Das heißt aber, sie müssen, wenn sie sich nicht mehr auf höhere Wahrheiten berufen können, beanspruchen, daß es im Interesse aller ist, und auf diese Weise können sie nicht umhin, eine Perspektive zu eröffnen, die wenigstens in der Theorie, wenn auch selten genug mit Erfolg in der Praxis, gegen sie gewendet werden kann.

(1981)

Retraktationen

1. Auseinandersetzung mit Ursula Wolf

Ursula Wolf hat in ihrer Abhandlung *Das Problem des moralischen Sollens*[1] gegen die in meinen »Drei Vorlesungen« (*DV*) entwickelte Auffassung eine Reihe gravierender Einwände formuliert. Ich nenne hier nur diejenigen, von denen ich selbst meine, daß sie eine Revision meiner Auffassung erforderlich machen.

Der erste Einwand betrifft den in meiner 1. Vorlesung entwickelten allgemeinen Begriff von Moral. Ich hatte behauptet, daß man das »soll«/»muß« von sozialen Normen – und d. h. eben das Normative dieser Normen – nur verstehen kann im Zusammenhang mit den für sie konstitutiven Sanktionen. Daß jemand etwas in diesem Sinn tun »muß«, heißt, daß er, wenn er es nicht tut, eine Sanktion zu erwarten hat. Demgegenüber schlägt Wolf vor, zwischen Normen und sozialen Regeln zu unterscheiden. Als soziale Regeln will sie solche allgemeinen Imperative verstehen, deren soziale Geltung nicht durch Sanktionen, sondern durch »interessierte oder beteiligte Kritik« konstituiert wird. Moralische Gebote seien im Unterschied zu Rechtsgeboten als »Regeln« (in dem so definierten Sinn), nicht als »Normen« zu verstehen. Meiner Auffassung hält sie entgegen, daß es sich bei den moralische Gebote konstituierenden Sanktionen um »interne« Sanktionen handeln müsse wie moralischer Tadel oder moralische Verachtung, also Sanktionen, die sich gar nicht unabhängig von der Regel definieren lassen und die den die Regel Verletzenden gar nicht treffen, wenn er die Regel nicht schon bejaht. Dann aber enthalte der Rekurs auf die Sanktion keine Erklärung, sondern führe in einen Zirkel. Die interne Reaktion auf eine Regelverletzung sei eine »interessierte Kritik«.

1 Berlin 1984.

Ich möchte, was mir als richtiger Kern dieses Einwands erscheint, etwas anders fassen. Das Versäumnis, auf das er hinweist, besteht in der fehlenden Differenzierung im Begriff der Sanktion und der entsprechend globalen Rede von »sozialen Normen (Sitten und Rechtsnormen)«. Für Rechtsnormen sind äußere Sanktionen konstitutiv, für Sitten hingegen oder jedenfalls für diejenigen Sitten, die wir für begründet und also für moralisch halten, interne Sanktionen. Es ist zwar wahr, daß Normen, die wir als moralische verstehen, auch durch äußere Sanktionen in Kraft gesetzt werden können, aber dann fungieren sie für die, für die sie lediglich dadurch in Kraft sind, nicht als moralische Normen.

Der weitere Schritt von Wolf, daß eine solche interne Sanktion eigentlich überhaupt nicht mehr den Sinn einer Sanktion hat, sondern den einer »interessierten oder beteiligten Kritik«, erscheint mir nicht einleuchtend, weil ich diesen Begriff einer »interessierten Kritik« unklar finde. Er ist geeignet, den grundsätzlichen Unterschied zwischen technischen und Klugheitsregeln einerseits und solchen Regeln, die eine »soziale Geltung« haben, andererseits zu verwischen. Die »beteiligte Kritik«, die Individuen aneinander wechselseitig mit Bezug auf Regeln der ersten Art üben können, hat den Sinn eines Rats, den die Individuen befolgen, weil sie die durch diese Regeln konstituierte Praxis um ihrer selbst willen wollen oder weil sie die Zwecke wollen, die durch Befolgen dieser Regeln zu erreichen sind. Es ist nicht sinnvoll, von diesen Regeln zu sagen, daß sie eine »soziale Geltung« haben oder daß sie um der intersubjektiven Anerkennung willen befolgt würden. Daß eine Regel sozial »gilt«, kann nur heißen, daß ihre Übertretung sozial sanktioniert ist, und dabei kann die Sanktion entweder die innere Sanktion der Anerkennung bzw. Verachtung oder eine äußere Sanktion sein. Mir scheint also Wolfs Rede von »sozialen Regeln« (in dem von ihr definierten Sinn) nicht konsistent. Der Unterschied, auf den es ankommt, ist nicht der zwischen nicht-sanktionierten Regeln und sanktionierten Normen, sondern zwischen intern sanktionierten und extern sanktionierten Normen. Ob der Begriff der internen Sanktion in einen Zirkel führt (und das hieße dann freilich, daß er sich aufhöbe), ist eine Frage, auf die ich noch zurückkomme.

Ein zweiter Einwand ist, daß, was bei mir herauskommt, nur moralkonformes Handeln ist, nicht moralisches Handeln, Handeln aus moralischer Motivation. Nun hatte ich diese Frage der moralischen Motivation gar nicht zu beantworten versucht. Man kann mir jedoch vorhalten, daß mein Ansatz eine positive Beantwortung dieser Frage geradezu ausschließt. Jedenfalls erlaubt der Rekurs auf die interne Sanktion eine einfache und natürliche Beantwortung dieser Frage. Ein Handeln ist nicht nur moralkonform, sondern moralisch, wenn (so würde ich abweichend von Wolf sagen) sein Motiv die interne moralische Sanktion ist. Insofern ist dieser zweite Punkt ein einfaches Korollar des ersten.

Wolfs dritter Einwand betrifft den in meiner 3. Vorlesung durchgeführten Versuch einer kommunikativen Begründung der Moral der Goldenen Regel: daß es rational sei, sich gemeinsam einem normativen System zu unterwerfen, das gleichermaßen gut für alle ist. Wolf wendet ein, daß mit Hilfe eines solchen kontraktualistischen Modells erstens (auf Grund des vorigen Einwands) überhaupt nicht eine Moral (sondern nur ein moralisch begründetes Rechtssystem) zu erreichen ist. Zweitens sei auf diese Weise das Prinzip der Gleichheit nicht begründbar, da die Ausgangsbedingungen des Aushandelns eines Vertrags ungleich sein können. Drittens sei nicht zu sehen, wie man auf diese Weise zu einem Universalisierungsprinzip im starken Sinn kommen könne, zu einer Einbeziehung aller Menschen. In dem reziproken Begründungsprozeß, wie ich ihn vorführe, werde die gleiche und universelle Anerkennung aller durch alle in Wirklichkeit vorausgesetzt. Dieser Einwand ist also demjenigen vergleichbar, den ich gegen Habermas erhoben habe, wenn ich behaupte, daß in seiner »idealen Sprechsituation« das, was eigentlich erst zu begründen wäre, schon vorausgesetzt ist (S. 119).

Der Frage, wie denn nun eine Moral der gleichen und universellen Anerkennung auf andere Weise zu begründen oder wenigstens plausibel zu machen sei, ist konsequenterweise der positive Teil von Wolfs Abhandlung (ab Kap. 4) gewidmet. Von der Gedankenreihe, die sich dabei ergibt, möchte ich nur die für mich wichtigsten drei Schritte nennen.

Als erstes versucht Wolf, das Beweisziel genauer zu fassen. Eine aufgeklärte Moral besteht in der gleichen und universellen Achtung. Der Begriff der Achtung rückt also ins Zentrum. Das finde ich richtig. Ich meine aber, daß dieser Terminus in seiner moralphilosophischen Verwendung in zwei Bedeutungen schillert, die von Wolf nicht genügend klar auseinandergehalten werden.

Die eine Bedeutung steht für den Inbegriff des moralischen Sichverhaltens, wenn Moral im Sinn der Goldenen Regel verstanden wird. Wir verhalten uns zu einer Person in diesem Sinn moralisch, wenn wir sie, Kantisch gesprochen, als Zweck an sich anerkennen, und d. h.: wenn wir ihr Wohl berücksichtigen (Wohlwollen). Achtung in diesem Sinn ist moralische (im Gegensatz zu affektiver) Liebe oder was man auch Nächstenliebe (oder Brüderlichkeit) nennt. Diese Beziehung der Achtung, wie sie in Kants zweiter Formulierung des kategorischen Imperativs zum Ausdruck kommt, ist die Quelle aller inhaltlichen moralischen Regeln (jedenfalls solange wir es nur mit einer anderen Person zu tun haben; für Gerechtigkeitsfragen reicht diese Formulierung nicht aus): Daß wir den anderen nicht quälen, nicht belügen, daß wir ihm helfen sollen usw., ist eine Folge davon, daß wir ihn in diesem Sinn achten sollen. Diese Achtung des anderen als Zweck an sich ist aber nicht nur ein Ableitungsprinzip oder die bloße Summe des inhaltlich bestimmten moralischen Verhaltens, sondern es ist gewissermaßen dessen

Pointe. Das zeigt sich besonders deutlich in der Negation: in der moralischen Mißachtung, der Kränkung, der Demütigung. Was wir als das Empörendste empfinden, wenn z. B. Menschen in extremen Situationen der Rechtlosigkeit wie im KZ, in der Folter usw. grausam behandelt werden, ist die zusätzliche symbolische Bezeugung der Mißachtung: die Entwürdigung. Die Achtung ist also nicht einfach ein Prinzip, sondern selbst eine Weise des Sichverhaltens, eine Einstellung.

Von dieser Bedeutung des Wortes zu unterscheiden ist eine andere, die eng mit dem Begriff der Wertschätzung einer Person zusammenhängt. Man kann eine Person hinsichtlich einer bestimmten Eigenschaft schätzen (bzw. »achten«), wenn sie diese Eigenschaft in besonders guter Weise exemplifiziert: wir schätzen sie dann z. B. in ihrer Eigenschaft als Lehrer, als Musiker usw. Wenn wir hingegen einfachhin von jemandem sagen, daß wir ihn schätzen oder achten oder anerkennen, heißt das, daß wir ihn als Person, als Mensch achten. Wir meinen dann (ich werde das nachher noch genauer begründen), daß dieser Mensch diejenige Eigenschaft oder diejenigen Eigenschaften, die wir wechselseitig voneinander moralisch fordern, besonders gut exemplifiziert. Wir halten ihn dann für einen guten Menschen. Es ist die dieser Achtung entgegengesetzte Verachtung, von der vorhin bei der Frage der internen Sanktion die Rede war. Versteht man die Rede von Sanktion sowohl positiv wie negativ, so kann man sagen, daß Achtung in diesem Sinn und die ihr entgegengesetzte Verachtung die beiden Pole sind, die in ihrer Polarität die interne Sanktion für moralisches Verhalten ausmachen. Für den speziellen Fall der Moral der Goldenen Regel folgt daraus, daß, wenn gemäß dem im vorigen Absatz Gesagten die von dieser Moral geforderte Einstellung die der Achtung im ersten Sinn ist, diese Einstellung gefordert wird durch die Achtung bzw. sonst drohende Verachtung im jetzigen zweiten Sinn.

Daß die zwei Bedeutungen von »Achtung« begrifflich, wenn

auch vielleicht nicht empirisch deutlich getrennt sind, scheint mir klar. Die Achtung im zweiten Sinn ist auf eine Werteigenschaft von Personen bezogen, die im ersten Sinn ist einfach auf ihr Sein bezogen. Damit hängt zusammen, daß die Achtung im zweiten Sinn Grade zuläßt (man kann eine Person in diesem Sinn mehr oder weniger achten), die im ersten Sinn nicht. Die Achtung im ersten Sinn hat daher auch kein konträres, sondern nur ein kontradiktorisches Gegenteil: es gibt da keine Verachtung, sondern nur das Fehlen von Achtung, was man als Mißachtung bzw. Rücksichtslosigkeit bezeichnen kann.

Um die beiden Bedeutungen auseinanderzuhalten, möchte ich im folgenden zwei andere Wörter verwenden. Anstelle von »Achtung« im ersten Sinn will ich »Respekt« sagen. Auch das Wort »Rücksichtnahme« wäre möglich; es scheint aber etwas zu einseitig auf die negativen Pflichten zu weisen. Für »Achtung« im zweiten Sinn will ich »Schätzen« sagen (englisch und französisch »estimation«). Als Gegensatz halte ich an dem Wort »Verachtung« fest.

Der zweite für mich wichtige positive Schritt in Wolfs Abhandlung ist ihr wenn auch zögernder Rekurs (in Kap. 6, § 2b) auf den von Andreas Wildt gemachten Versuch einer psychologischen Begründung von »Moralität als notwendiger Bedingung praktischer Ichidentität«[2], der seinerseits von meinen Überlegungen in *Selbstbewußtsein und Selbstbestimmung* (S. 272–278) ausgeht. Ich hatte diesen Überlegungen noch keinen explizit moraltheoretischen Sinn gegeben. Diese Wendung verdanke ich Wildt. Inhaltlich hat Wildt aber nur den rollentheoretischen Aspekt meiner Überlegungen aufgenommen, während mir nach wie vor der werttheoretische entscheidend scheint. Ich überspringe daher die spezifischen Details der Auffassung von Wildt und stelle die These so dar, wie sie sich in direkter Anknüpfung an meine damaligen Überlegungen ergibt.

---

2 Andreas Wildt, *Autonomie und Anerkennung*, Stuttgart 1982, S. 261.

Ich hatte dort geschrieben: »Offenbar müssen wir uns als bejahenswert erfahren, um uns selbst bejahen zu können, und als bejahenswert erfahren wir uns zumindest genetisch nur, wenn uns andere bejaht haben – geliebt und anerkannt –, und auch strukturell nur, wenn wir meinen, daß uns andere bejahen können« (S. 272). Dabei scheint mir nach wie vor wichtig, daß hier von Bejahen in einem doppelten Sinn die Rede ist. Mit der Selbstbejahung, dem Bejahen des eigenen Seins meine ich (jedenfalls auf einer ersten Ebene) die affirmative voluntative Beziehung zum eigenen Leben, also die Bereitschaft weiterzuleben. Hier handelt es sich also einfach um eine Bejahung im Wollen. Dasselbe gilt auch für die Liebe: Eine Person lieben, heißt, ihr Sein und ihr Wohl voluntativ zu bejahen (und mit ihr zusammensein wollen). In der Rede von »bejahenswert« hingegen liegt ein anderer Sinn von Bejahung: Anerkennen bzw. Schätzen, und das ist eine Bejahung, die ein Werturteil einschließt. Die These also ist, »daß wir unser Leben nur bejahen können im Sinn von Weiterlebenwollen«, wenn wir meinen, »daß es bejahenswert und d. h. schätzenswert ist«, und d. h., daß die Selbstbejahung im ersten Sinn von »Bejahen« »die Selbstbejahung im zweiten, wertenden Sinn voraussetzt bzw. fordert, und dieser Sinn ist ein wesensmäßig intersubjektiver« (S. 273).

Dieser Satz ist natürlich nicht analytisch, er hat sich mir lediglich intuitiv nahegelegt und muß als eine empirisch zu überprüfende psychologische Hypothese verstanden werden. Auch Rawls bezeichnet einen ähnlichen Satz als »psychologisches Gesetz«.[3] Allerdings muß die These etwas genauer präzisiert werden. Ihre genetische Implikation muß in zwei Sätzen formuliert werden: Die erste Teilthese ist ziemlich selbstverständlich: das kleine Kind gewinnt ein affirmatives Verhältnis zu seinem Sein nur im Kontext der Erfahrung des Geliebtwerdens durch seine primären

3 Vgl. John Rawls, *A Theory of Justice*, Cambridge (Mass.) 1972, § 70.

Bezugspersonen. Die zweite Teilthese besagt, daß wir jemanden nur lieben können, wenn wir ihn als Menschen, und d. h. moralisch schätzen. (Die umgekehrte Implikation gilt natürlich nicht.) Dieser Zusammenhang scheint für Liebe und Freundschaft zwischen Erwachsenen klar. Der Grenzfall der Liebe, bei dem moralische Achtung irrelevant ist, wäre Affenliebe. Gegenüber einem Kind ist die Liebe natürlich solange ohne moralische Achtung (wenngleich natürlich nicht ohne jene andere Achtung: Respekt), wie das Kind noch nicht für diese moralische Wertdimension offen ist; aber sobald sie dem Kind erschlossen ist, werden die Erwachsenen, die sich selbst moralisch verstehen, dem Kind zu verstehen geben, daß sie es zwar einerseits bedingungslos lieben, daß aber andererseits doch die Liebe die moralische Schätzung impliziert; und das Kind seinerseits möchte nicht nur geliebt, sondern zugleich als moralisches Wesen ernst genommen, und d. h. a) respektiert und b) moralisch geschätzt werden. Später emanzipiert sich der Heranwachsende gegebenenfalls (wenn die Moral nicht mehr eine traditionalistische ist, und d. h., wenn man das Bewußtsein hat, nach dem Begründetsein der moralischen Normen selbständig fragen zu können) von den bestimmten Inhalten, an die die Schätzung durch die primären Bezugspersonen und darüber hinaus die Schätzung durch die soziale Umwelt gebunden war: Entsprechend ist dann die notwendige (nicht hinreichende) Bedingung für die Selbstbejahung (im schlichten Sinn des Weiterlebenwollens) nicht mehr das faktische Geliebt- und Geschätztwerden, sondern daß man sich als schätzenswert ansehen kann (als schätzenswert durch diejenigen Personen, die nach der eigenen Auffassung die richtigen moralischen Meinungen haben). Die entsprechende Formulierung »daß man sich als liebenswert ansehen kann« wäre nicht sinnvoll, denn eine solche dispositionelle Eigenschaft gibt es nicht über die Minimalbedingung des Schätzenswertseins hinaus. Der Sachverhalt, um den es hier geht, läßt sich deutlicher negativ formulieren: Wer sich für moralisch verachtenswert hält, und d. h., wer sich selbst verachtet, kann sich nicht lieben, hat kein affirmatives Verhältnis zum eigenen Sein.

Diese Ausführungen sind natürlich viel zu grob und können nur die Richtung anzeigen. Insbesondere wäre zu klären, was passiert, wenn die eben unterstellte günstige sozialisatorische Ausgangslage nicht gegeben ist, und wie das Selbstverhältnis derjenigen zu verstehen ist, die auf Grund einer mißglückten Sozialisation einen sogenannten »lack of moral sense« aufweisen und nicht fähig sind, Schuldgefühle zu haben.[4] Außerdem ist die empirische Realität zweifellos viel komplexer, es gibt Gradualitäten und Varianten.

Worauf es mir vor allem ankommt, ist, daß sich hier ein Ausweg aus dem von Wolf behaupteten Zirkel beim Begriff der internen Sanktion zeigt. Die interne moralische Sanktion – also das, was dem Sinn des moralischen »muß« zugrunde liegt – ist die moralische Verachtung. Dieser Begriff wäre in der Tat zirkulär bzw. leer, wenn er lediglich darin bestünde, daß einer Person attestiert wird, daß sie bestimmte Standards – genannt moralische – nicht erfüllt bzw. ihnen zuwiderhandelt, und daraus im Verhalten zu ihr nichts weiter folgen würde. In diesem Fall könnte die Verachtung bzw. Selbstverachtung nicht den Charakter einer Sanktion haben. Nun liegt aber in unserer Rede von Verachtung schon dieses Plus: daß die Person moralisch versagt hat und daher in einem fundamentalen Sinn, der auch für Freundschaft und Liebe mitkonstitutiv ist, intersubjektiv nicht bejaht werden kann. Es ist dieser Zusammenhang zwischen moralischer Bejahung (Schätzung) und derjenigen Bejahung, die in Liebe und Freundschaft enthalten ist, der der Verachtung den affektiven Stachel einer Sanktion gibt. Wenn man sagt, daß moralische Erziehung durch Liebe und Liebesentzug

4 Vgl. D. W. Winnicott, »Psycho-Analysis and the Sense of Guilt«, in: D. W. W., *The Maturational Processes and the Facilitating Environment*, London 1965, S. 15–28.

geschieht, ist es wichtig, zwei Fälle zu unterscheiden: Wenn das Kind keinen inneren Zusammenhang zwischen Moral und Liebe sieht, ist der Liebesentzug für es nur eine (wenn auch besonders furchtbare) äußere Strafe unter anderen. Auf diese Weise kann sich kein Schuldgefühl, keine moralische Motivation und kein Verständnis des Begriffs der Verachtung konstituieren. Das ist erst dann der Fall, wenn das Kind einen internen Zusammenhang zwischen Amoralität und Liebesentzug sieht. Über diesen Zusammenhang wird man noch weiter nachdenken müssen. Bedeutet die Rede von einem »internen Zusammenhang«, daß der Zusammenhang ein analytischer ist? Man kann natürlich »Liebe« entsprechend definieren. Aber damit wäre wenig gewonnen. Daß wir überhaupt von einer Sanktion sprechen können, setzt voraus, daß die gefühlsmäßige Reaktion der sozialen Umwelt, die der Betreffende zu befürchten hat, nicht ausschließlich durch den Bezug auf Moralität definiert ist. Daß andererseits die Sanktion eine interne ist, setzt voraus, daß diese gefühlsmäßige Reaktion durch diesen Bezug mitdefiniert ist. Die erforderliche Verbindung wird durch die voluntative Bejahung ermöglicht, die in der Liebe bzw. dem Wohlwollen enthalten ist. Das läßt sich nicht rein begrifflich fassen, sondern das Wesentliche ist, daß ein Kontinuum besteht zwischen derjenigen Liebe, zu der die moralische Schätzung analytisch gehört, und derjenigen, zu der sie noch nicht gehört.

Wolf hat sich für diese Zusammenhänge nicht interessiert, weil sie meint, den Begriff der Moral unabhängig von einem Sanktionsbegriff fassen zu können. Sie hält Wildts These von »Moralität als notwendiger Bedingung praktischer Ich-identität« für begrenzt plausibel, wendet aber ein, daß sich von hier aus der spezifische Charakter der Universalität des moralisch geforderten Respekts nicht begründen lasse. Das ist richtig, ja es ist gar nicht anders denkbar, weil doch der eben dargestellte Zusammenhang zwischen Selbstaffirmation und dem Bewußtsein, moralisch schätzenswert (bzw.

nicht verachtenswert) zu sein, die Moral ganz allgemein betrifft, auch eine traditionalistische, und nicht den besonderen Fall der universalistischen Moral.

Ich werde weiter unten zu zeigen versuchen, wie der Schritt zu einer Moral des universellen und gleichen Respekts nur innerhalb dieses Zusammenhanges zwischen Selbstbejahung und dem Bewußtsein, moralisch bejaht werden zu können, erfolgen kann, weil das spezifisch moralische »muß« sich nur in diesem Zusammenhang konstituiert und dieser Zusammenhang daher das spezifisch moralische Terrain bildet, das allen Besonderungen zugrunde liegen muß. Wolf hingegen glaubt, daß an dieser Stelle ein völlig neuer Ansatz erforderlich wird. Diesem dritten Schritt ihrer positiven Ausführungen ist das letzte Kapitel ihrer Abhandlung gewidmet. Es ist gewiß das gedankenreichste der ganzen Untersuchung, im Kontext meiner »Retraktationen« muß ich jedoch auf die Einzelheiten der Durchführung nicht eingehen, sondern nur auf die grundsätzliche Wendung, die sie mit diesem letzten Schritt vornimmt. Die These ist, daß man die Frage nach der Moral in den Kontext der Frage nach dem »guten Leben« stellen muß, d. h. in den Kontext der Frage, was ich letztlich will.

Grundsätzlich liegt darin eine Rückwendung zum platonisch-aristotelischen Ansatz, demzufolge die Frage nach dem moralisch Gesollten (καλόν) zurückzuführen bzw. zu verwandeln sei in die Frage nach den wohlverstandenen eigenen Interessen, nach dem wahrhaft Gewollten (ἀγαθόν, βουλητὸν ἀληθές). Diese Rückwendung ist in letzter Zeit von verschiedenen Autoren vertreten worden,[5] am entschiedensten von Philippa Foot mit ihrer Konzeption der »Moral als einem System hypothetischer Imperative«.[6] Die morali-

---

5 Vgl. auch meinen Aufsatz »Antike und moderne Ethik«, im vorliegenden Band S. 33–56.
6 Philippa Foot, »Morality as a System of Hypothetical Imperatives«, in: *Philosophical Review* 81 (1972); auch in: Ph. F., Virtues and Vices, Oxford 1978, S. 157–173.

schen Regeln werden auf prudentielle Regeln, Klugheitsregeln reduziert. Bei Wolf liegt dieser Schritt natürlich in der Konsequenz ihres Ansatzes, demzufolge der Begriff von Moral faßbar sein soll ohne auf einen Begriff von Sanktion rekurrieren zu müssen.

Über Sinn und Grenzen einer solchen Auffassung kann man sich am einfachsten Rechenschaft geben, indem man sich fragt, welche Bedeutung jetzt das »muß« der moralischen Normen gewinnt. Die richtige Antwort auf diese Frage findet sich in unzweideutiger Weise bei Philippa Foot: Der Sinn des »muß« ist jetzt der eines hypothetischen Imperativs; die moralischen Normen sind, so verstanden, Vernunftnormen: daß ich so und so handeln »muß«, hat jetzt den Sinn, daß ich, nur wenn ich so handle, das erreiche, was ich letztlich will, bzw. so sein kann, wie ich letztlich sein will. Alle intersubjektiven Konnotationen des »muß« der sozialen Normen sind also von diesem »muß« strikt fernzuhalten: es entfällt die Rede von einem Verpflichtetsein und von Schuld. Zur Kritik, wenn man nicht so handelt, wie man »muß«, gehört jetzt nicht Vorwurf, Tadel und Verachtung, sondern Bedauern und Aufklärung wie schon bei Sokrates. Wer schlecht in diesem Sinn handelt, wird nicht schuldig, sondern ist dumm.

Damit möchte ich diese Auffassung nicht diffamieren. Im Gegenteil, ich halte es nicht für undenkbar, daß wir heute (wie ja schon Platon und Aristoteles) zu der Auffassung gelangen, daß Moral im bisherigen Sinn auf Gründe angewiesen ist, die uns nicht mehr zur Verfügung stehen, und nur noch ein solches Konzept des wohlverstandenen eigenen Interesses begründbar ist. Was wir aber in jedem Fall vermeiden sollten, ist, Konnotationen von Begriffen, die ihrem Sinn nach zu dem »muß« der sozialen (sanktionierten) Normen gehören, unvermerkt auf das prudentiell definierte »muß« übergreifen zu lassen. Philippa Foot ist hier gewiß klar (und eindeutiger als Wolf), aber immerhin nimmt sie noch das Wort »Moral« in Anspruch. Natürlich können wir

dieses Wort neu definieren. Und so möchte ich nur sagen:
Mir wäre wohler – die Entscheidung, vor der wir hier
stehen, wäre klarer –, wenn man, statt von einer prudentiellen Auffassung *der* Moral zu sprechen, sagen würde, daß
man versucht, einen Corpus von Handlungsregeln, die man
bisher als moralische verstanden hat, prudentiell zu begründen. Soviel sollte jedenfalls klar sein: Es handelt sich hier um
einen neuen Vorschlag – und wenn man dafür das Wort
»Moral« beibehalten will, einen neuen Vorschlag für das
Verständnis dieses Wortes –, während ich in *DV* an der
deskriptiven Frage interessiert war, einen Begriff zu gewinnen, der auch auf das paßt, was man bisher ungefähr unter
Moral verstanden hat, und auch auf das, was Ethnologen
untersuchen, wenn sie die Moral einer Gruppe untersuchen,
und die Frage einer neuen Begründung von Moral habe ich
im Horizont dieses vorausgesetzten vorgegebenen Begriffs
gestellt.
Dieser Begriff bezieht sich, wenn die Überlegungen, die ich
eben unter dem Stichwort ›Wildt-These‹ angestellt habe,
ungefähr richtig sind, auf ein vorgegebenes psychologisches
Faktum unserer Sozialisation, von dem man fragen kann, ob
es überhaupt möglich und wünschbar ist, es rückgängig zu
machen, sei es nachträglich bei Individuen, die schon sozia-
lisiert sind (aber wie?), sei es in Zukunft durch eine andere
(welche?) Sozialisation. Die prudentielle Auffassung setzt
theoretisch den vorhin erwähnten »lack of moral sense«
voraus. Sie wird aber faktisch von Philosophinnen vertreten,
von denen ich meinen würde, daß sie in Wirklichkeit unter
keinem »lack of moral sense« leiden und eben deswegen
gerade zu einer Auffassung von dem kommen, was sie
letztlich wollen, die sich inhaltlich mit einem Kernbereich
dessen deckt, was sich für den »moral sense« ergibt. Wie ich
nachher zu zeigen versuchen werde, kann die Neubegrün-
dung der Moral, wie sie in der Moderne erforderlich wird,
sich durchaus noch im Rahmen des traditionellen Moralbegriffs (d. h. des durch Liebe und Schätzung sanktionierten

»muß«) bewegen. Ich bezweifle, daß die Begriffe »Verpflichtung« und »Schuld« zur Disposition gestellt werden
können, und ich glaube, daß ein sogenanntes autonomes
Gewissen sich nur auf der Grundlage des kindlichen hetero-
nomen Gewissens entwickeln kann.

Gleichwohl gilt auch für das moralische »muß«, daß es
seinerseits im Kontext der Frage nach dem guten Leben
steht, und d. h. in einem Bezug zu dem, was ich letztlich
will. Wenn nämlich das Bewußtsein, als Mensch, und d. h.
moralisch intersubjektiv bejahenswert zu sein, die Bedingung dafür ist, sich selbst bejahen zu können, so heißt das ja,
daß man die Moralität zu einer Kernkomponente dessen
gemacht hat, wie man leben will. Man kann also sagen: Um
so leben zu können, wie ich leben will, *muß* ich (und hier
hat das Wort seinen prudentiellen Sinn) mich am moralischen »muß« orientieren. Durch diese Einbettung im prudentiellen »muß« verliert aber das moralische »muß« nichts
von seinem eigenen, irreduziblen Sinn, der auf einer (freilich
besonderen) sozialen Sanktion beruht.

2. Konsequenzen für den Begriff der Moral

Nachdem ich mich im vorigen Abschnitt in der Reihenfolge
der Überlegungen von der Auseinandersetzung mit Ursula
Wolf leiten ließ und sich daraus, systematisch eher unzu-
sammenhängend, eine Reihe neuer Akzente ergaben,
kommt es jetzt darauf an, systematisch den Modifikationen
nachzugehen, die sich daraus für die Konzeption von *DV*
ergeben.

In *DV* habe ich die Auffassung vertreten, daß, wenn wir von
einer Handlung einfachhin sagen, sie sei gut (oder schlecht),
dies den Sinn habe, daß sie einer Norm entspricht (oder
widerspricht), die ihrerseits gut ist. Die Meinung war also,
daß »gut«, absolut verwendet (als einfaches Prädikat), ein
Prädikat ist, das sich primär auf Normen bezieht, und dabei

hat sich dann herausgestellt, daß das Wort, so verwendet, in der Sprache keine eindeutige Bedeutung hat. Nur in einer Anmerkung habe ich darauf hingewiesen (S. 69), daß man die absolute Verwendung dieses Wortes auch so verstehen könnte, daß eine Handlung dann gut ist, wenn sie die Handlung eines guten Menschen ist. Der absoluten Verwendung des Wortes mit Bezug auf Handlungen würde also diese attributive Verwendung, bezogen auf den Klassenausdruck »Mensch«, zugrunde liegen. Daß der moralischen Verwendung des Wortes »gut« diese attributive Verwendung zugrunde liegt, erscheint nach den vorangehenden Überlegungen zwingend, denn wenn wir die spezifisch moralische Sanktion nicht anders verstehen können als so, daß jemand als Mensch geschätzt wird, und »Schätzen« immer besagt: für gut halten, ist dieser Rekurs auf den Begriff »gut« unvermeidlich.

In *DV* hatte ich diesen Weg deswegen verworfen, weil ich nur seine aristotelische Deutung im Auge hatte. Mit aristotelischer Deutung meine ich nicht die spezielle Konzeption von Aristoteles, sondern jede Auffassung, derzufolge Moral auf einen Begriff vom »Wesen«, der »Funktion« oder der »Bestimmung« des Menschen zu gründen sei. Eine solche Auffassung, derzufolge das moralisch Gesollte auf einer bestimmten These über das Wesen des Menschen gründet, müßte sich auf eine »höhere Wahrheit« berufen (S. 126), also auf eine empirisch nicht zu begründende Prämisse, in diesem Fall nicht eine traditionalistisch abgestützte, sondern eine metaphysische (d. h. eine apriorische Evidenz beanspruchende). Für die von mir gesuchte allgemeine Begriffsbestimmung von Moral kommt sie auch deswegen nicht in Betracht, weil sich traditionalistische Auffassungen von Moral schon allemal nicht unter sie subsumieren ließen.

Nun kann man sich leicht klarmachen, daß, so wie ich den Ausdruck »gut als Mensch« oben verwendet habe (S. 136), der Zusatz »als Mensch« eigentlich nur einen negativen Sinn hat. Jemanden als Menschen schätzen, heißt, ihn schätzen –

nicht als Soundso (als Verkäufer, als Lehrer, als Dirigent),
sondern einfachhin. Daß wir einen Menschen nicht nur in
dieser oder jener Hinsicht, in dieser oder jener Rolle, sondern auch einfachhin, als ihn selbst schätzen können, mag
merkwürdig erscheinen, ist aber unbestreitbar. Wir haben
gesehen, daß dieses grundsätzliche Schätzen auch der Liebe
und der Freundschaft zugrunde liegt, und Liebe und
Freundschaft beziehen sich ebenfalls auf eine Person als sie
selbst und nicht, sofern ihr diese oder jene Eigenschaft
zukommt.
Die intuitive Gewißheit, daß es so etwas gibt wie ein Schätzen einer Person einfachhin, enthebt uns freilich nicht der
Aufgabe zu klären, was es denn nun ist, was wir an der
Person schätzen, wenn wir sie als sie selbst schätzen. Für
mich wäre es natürlich verlockend, diese Frage folgendermaßen zu beantworten: Wenn man eine Person für gut
einfachhin hält, heißt das (ist das so definiert), daß sie
»diejenige Eigenschaft oder Eigenschaften, die wir wechselseitig voneinander moralisch fordern, besonders gut exemplifiziert« (S. 136). Verlockend deswegen, weil ich dann vergleichsweise wenig von der in *DV* entwickelten Konzeption
preisgeben müßte. Denn das eben angeführte Definiens läßt
sich jetzt ohne weiteres so erweitern: Und daß eine Person
unseren moralischen Forderungen entspricht, heißt, daß sie
diejenigen Normen befolgt, die wir für begründet halten.
Diese Bestimmung ist so allgemein, daß sie, gemäß der in
DV entwickelten Konzeption, offen ist für die verschiedenen Begründungsprädikate. Es ergibt sich jetzt eine ganz
natürliche Erklärung dafür, daß bei *jeder* Moralkonzeption,
auch bei einer solchen, für die das *Normenbegründungsprä-
dikat* nicht das Wort »gut« in irgendeiner der in *DV* ange-
führten Bedeutungen ist, eine *Person* als gut (schätzenswert)
bezeichnet werden kann, und eben dies scheint ja wirklich
der Fall zu sein. Gilt z. B. ein normatives System dann als
begründet, wenn es gottgegeben ist, dann wird man diejenigen, die sich ihm (genauer gesagt: seiner inneren Sanktion)

freiwillig fügen, als gut bezeichnen. Und die aristotelische Deutung (die ich in *DV* nicht berücksichtigt habe) würde sich jetzt mit einem eigenen Begründungsprädikat als ein Fall unter anderen ihrerseits in diese Gesamtkonzeption einbauen lassen.

Das für mich an dieser Auffassung Verlockende besteht natürlich darin, daß sie es erlaubt, wenigstens die in *DV* vorgeschlagene *Begriffsbestimmung* von Moral festzuhalten. Denn die jetzige, für mich neue absolute Verwendungsweise des Wortes »gut«, die sich auf das Korrelat des Schätzens einer Person als solcher bezieht, würde ja nach der eben gegebenen Erklärung keinen eigenen Begriff von »Moral« enthalten, der mit dem in *DV* gegebenen konkurrieren würde, sondern würde auf letzterem aufruhen.

Diese Auffassung kann jedoch bei längerem Nachdenken nicht wirklich befriedigen. Was mir an ihr von vornherein Unbehagen erzeugte, war, daß die Gleichsetzung von »gut (schätzenswert) einfachhin« mit »moralisch gut«, d. h. mit »gut in der Befolgung der Normen, die man für begründet hält«, eigentlich ein synthetischer Satz ist, der doch erst noch zu begründen wäre. Denn es ist gewiß nicht einfach analytisch, daß wir eine Person dann als sie selbst schätzen, wenn sie diejenigen Normen befolgt, die wir für begründet halten. Der Kern dieses Problems ist, daß die Rede von einem Schätzen einer Person »als solcher« (»einfachhin«, »als sie selbst«) immer noch ungeklärt ist. Sie darf nicht einfach durch einen definitorischen Gewaltstreich gelöst werden, indem dekretiert wird, das heiße, die Person moralisch schätzen, sondern wir müssen uns auf das Phänomen einlassen, das wir hier, vorerst offenbar noch vage, im Auge haben, wenn wir, wie ich es eben getan habe, von einer intuitiven Gewißheit sprechen, daß es dieses Phänomen gibt.

Woran mir das Unzureichende dieser Auffassung schließlich endgültig deutlich wurde, ist, daß sie in der Art, wie sie vom Begründetsein von Normen spricht, sogar hinter den Stand zurückfällt, den ich (wenn auch noch nicht in voller Klarheit) schon in *DV* erreicht hatte. Ich war dort zu dem Ergebnis gekommen, daß es gar keinen Sinn hat, von den Normen zu sagen, daß sie begründet sind. Ich meine damit nicht nur, was ich gegen Habermas geltend gemacht hatte, daß es keinen Sinn ergibt, von einer Norm einfachhin zu sagen, daß sie begründet ist, sondern auch meine eigene Rede von den Begründungsprädikaten legt die irreführende Vorstellung nahe, als sei eine Norm dann begründet, wenn gezeigt ist, daß ihr das jeweilige Begründungsprädikat zukommt. Das ist höchstens als eine verkürzte, vorläufige Formulierung zulässig, denn es hatte sich ja gezeigt, daß, was eigentlich begründet wird, niemals die Norm oder eine Eigenschaft der Norm ist, sondern das Eingehen der entsprechenden Praxis: daß wir einen Grund haben, uns der Sanktion, die der Norm Geltung gibt, freiwillig zu unterwerfen; und inzwischen ist geklärt, daß diese Sanktion, wo es sich um Moralität, nicht Legalität handelt, die interne Sanktion der Verachtung ist, und dieser sich freiwillig zu unterwerfen heißt, daß man sich (und andere) für verachtenswert hält, wenn man die Norm verletzt, bzw. für schätzenswert, wenn man ihr entspricht. Wenn nun der Grund eben darin besteht, daß man einen Grund hat, diese auf Schätzung bezogene Praxis einzugehen, kann nicht, wie das in der vorhin entwickelten Auffassung unterstellt war, das Schätzen einer Person als solcher dadurch definiert sein, daß sie diese begründete Praxis vollzieht. Das Begründetsein steht vor der Klammer, nicht in der Klammer.

Das mag so exzessiv kompliziert erscheinen, daß man dazu neigen wird, das Ganze als konstruiert zu verwerfen. Wir stehen jedoch knapp vor einer einfachen Lösung. Ich erinnere an einen Aspekt meiner Erläuterung dessen, was es heißt, das Eingehen einer normativen Praxis zu begründen, dessen Bedeutung mir damals noch nicht so klar war: daß nämlich die Begründung eigentlich aus zwei Schritten besteht (S. 84 f.). Das Individuum fragt, warum es die Sank-

tion, die einem normativen System zukommt, freiwillig
bejahen soll. Weil, so wird ihm geantwortet, diesen Normen
eine ausgezeichnete Eigenschaft zukommt (eben die, die in
dem Begründungsprädikat zum Ausdruck kommt). Diese
Antwort hat aber motivierende, begründende Kraft nur in
Verbindung mit einem bestimmten Selbstverständnis des
Individuums (S. 85). Z. B., es ist begründet, sich dem normativen System, das die Eigenschaft hat, von Gott geboten
zu sein, zu unterwerfen, weil man sich als Kind Gottes
versteht. Dies, Kind Gottes zu sein, ist nicht irgendeine
Eigenschaft, sondern das, als was man sich wesensmäßig
selbst versteht.

Dieser Aspekt, der sich also schon bei der Begründungsproblematik aufdrängte, scheint jetzt eine einfache Antwort auf
die bisher offene Frage nahezulegen, was es denn heißt, eine
Person »einfachhin« zu schätzen. Jede Moralkonzeption,
die jeweils in einem bestimmten Begründungsprädikat zum
Ausdruck kommt, scheint auf einer Konzeption vom
wesentlichen Selbstsein einer Person zu gründen (und nicht
umgekehrt!). Heißt das, daß wir nun doch genötigt sind, auf
die aristotelische Deutung zurückzugreifen? Ich meine:
nein; denn was hier mit dem »Wesentlichen« gemeint ist,
ergibt sich nicht aus einem bestimmten Prädikat, es ist nicht
z. B. das Wesen von »Mensch« (oder auch »Person«), sondern es handelt sich um die Eigenschaft, die jeweils »wir«
(die Gruppe, die eine bestimmte Moralkonzeption hat) als
die entscheidende oder wesentliche Eigenschaft unseres
Seins bzw. Selbstverständnisses wechselseitig unterstellen,
wie z. B. Kind Gottes oder Glied dieses Volks zu sein usw.
Wenn ich jetzt zurückgefragt werde, wie ich denn ausweisen
kann, daß wir nicht umhin können, uns immer wechselseitig
so eine wesentliche Eigenschaft zu unterstellen, so möchte
ich an dieser Stelle nur sagen: Es scheint sich zunächst um
ein empirisches Faktum zu handeln, weil dieses Unterstellen
jedenfalls die Voraussetzung dafür ist, daß wir einander
wechselseitig und uns selbst »einfachhin« schätzen können.

Erst an späterer Stelle werde ich darauf noch eine grundsätz-
lichere Antwort geben können.

Ich sehe mich jetzt also doch genötigt, den Begriff der Moral
völlig neu zu definieren. Ich kann jetzt nicht mehr sagen,
daß »gut als Mensch« zu definieren ist durch einen schon
anderwärts vorgegebenen Begriff von »moralisch gut«, sondern es läuft jetzt umgekehrt: »Moralisch gut« läßt sich nicht
anders definieren als durch »gut mit Bezug auf die intersubjektiv als wesentlich unterstellte Eigenschaft«. Die als
wesentlich unterstellte Eigenschaft ist natürlich eine solche,
die eine Gradation nach gut/schlecht zuläßt, sonst könnten
wir nicht jemanden mit Rücksicht auf sie schätzen.

Wie ordnet sich diese Verwendung von »gut« in die verschiedenen Bedeutungen von »gut« ein? Der Überblick auf
die verschiedenen Bedeutungen von »gut«, den ich in *DV*
(S. 66 ff.) gegeben habe, wirkt von der jetzigen Problemstel-
lung aus gesehen natürlich ziemlich mißglückt. Ich habe
dort bei der attributiven Verwendung von »gut« neben der
ästhetischen Verwendung zwei Bedeutungen zusammenge-
zogen unter dem Titel des »Geeignetseins von etwas in der
Ausführung seiner charakteristischen Funktion« und gab als
Beispiele »gutes Messer« und »guter Fußballspieler« (S. 67).
Hier muß man nun aber unterscheiden (was schon v. Wright
getan hat) zwischen einer Funktion, die auf einen Zweck
bezogen ist, wie beim Messer, und einer, bei der man nicht
von einem Zweck reden kann, wie bei einem guten Fußballspieler, einem guten Tänzer, einer guten Mutter und dergleichen. Das aus der jetzigen Perspektive Mißliche meiner
dortigen Darstellung ist, daß ich in der Folge den Fußballspieler fallenließ und mich nur am Messer orientierte. Die
sich jetzt als entscheidend herausstellende Rede von »gut (als
Mensch)« gehört aber gerade in die Klasse derjenigen Fälle,
wo etwas eine Funktion gut erfüllt, die nicht zweckbezogen
ist. Diese Bedeutung steht der ästhetischen Verwendung
nahe, von der ich meinte, daß sie im Kontext meiner Problematik irrelevant sei.

Statt dessen habe ich dann die zweckbezogene attributive Verwendung zusammengenommen mit der hypothetischen Verwendung und der Verwendung im Sinn von »zuträglich«, weil alle drei auf Zwecke bezogen sind, und habe dann gesagt, daß alle Verwendungen, die nicht moralisch und nicht ästhetisch sind, in diesem Sinn relative Verwendungsweisen sind. Für diese relativen Verwendungsweisen ist es, wie ich dort zeigte, charakteristisch, daß diese Wertsätze in Sollsätze übersetzbar sind, bei denen »sollen« soviel besagt wie »Wenn du das nicht wählst, handelst du irrational«. Es ist ein »Vernunftsollen«. Diejenige attributive Bedeutung von »gut« hingegen, die auf eine nicht zweckbezogene Funktion bezogen ist, ist ebenso wie die ästhetische nicht eine relative in diesem Sinn. Es scheint daher hier auch nicht besonders sinnvoll, von Rationalität zu sprechen; das entsprechende Sollen bezieht sich nicht auf eine Vernunftnorm.

Wo immer ein Wertsatz in eine Vernunftnorm übersetzbar ist, spielt das Schätzen keine konstitutive Rolle; hier wird eben das geschätzt, für gut gehalten, was sich nach rationalen Kriterien als gut erweist. Hingegen verweist dasjenige »soll«, das wir bei Rollen und bei sonstigen nicht zweckbezogenen Funktionen verwenden können, mindestens teilweise auf ein Schätzen, das eine wertkonstituierende Bedeutung hat. Wer gut tanzt, tanzt so, wie man tanzen soll, und hier heißt das »soll«: so, wie man es bei einem Tänzer schätzt. Dieses Schätzen ist nicht rein subjektiv, es ist auf Standards bezogen, mit Bezug auf die man argumentieren und begründen kann, die aber selbst letztlich subjektiv sind. (Beim Fußball und dergleichen haben wir freilich den objektiven Maßstab des Gewinnens, bei Rollen spielen teilweise Zweckbezüge herein; in allen Fällen spielen aber auch subjektive Standards eine Rolle.)

In allen diesen Fällen ist jedoch das Schätzen nicht eine Sanktion. Das Schätzen ist hier überall eine »interne Sanktion« in dem ganz engen Sinn, der analytisch auf die entspre-

chende Funktion bezogen ist (und deswegen im eigentlichen
Sinn überhaupt keine Sanktion ist). Wenn wir eine Person
als Tänzer nicht schätzen, so besagt dies ausschließlich, daß
wir meinen, daß sie die Standards schlecht erfüllt, die für
diese Eigenschaft bzw. Funktion erforderlich sind. Demgegenüber haben wir schon gesehen, daß das moralische
Nichtschätzen über das bloße Konstatieren des Nichterfül-
lens von Standards hinausgeht und deswegen eine echte
Sanktion ist (S. 140 f.). Das hängt natürlich wesentlich damit
zusammen, daß die Funktion, auf die sich das moralische
Schätzen bezieht, nicht eine beliebige Funktion ist, die
jemand erfüllen kann, wenn er will, sondern die, von der
vorausgesetzt wird, daß sie unsere wesentliche Eigenschaft
betrifft. Hier sagen wir daher nicht wie in den anderen
Fällen: Du mußt so handeln, wenn du ein Soundso sein
willst, sondern: Du mußt so handeln, Punkt, bedingungslos. Wenn jemand in dieser zentralen Funktion versagt,
dann wird er nicht in einer bestimmten Hinsicht verworfen,
sondern *er* wird verworfen. Dieses Schätzen betrifft das
Selbstwertgefühl der Person.

Ist nun diese Verwendung von »gut« attributiv oder absolut?
Man kann beides sagen, und wir können jetzt sehen, inwiefern. Das moralische Schätzen betrifft, wie wir gesehen
haben, die Person »selbst«, »einfachhin«. Natürlich kann
das nicht heißen, daß damit irgendein metaphysischer Sub-
stanzkern hinter allen Eigenschaften gemeint ist. Wie alles
Schätzen kann auch dieses Schätzen sich nur auf eine Eigenschaft beziehen, auf eine Hinsicht. Insofern ist diese Verwendung von »gut« attributiv. Die Person ist gut – z. B. in
der Art, wie sie ihre Eigenschaft erfüllt, Kind Gottes zu
sein. Aber wenn diese Eigenschaft als die wesentliche Eigenschaft angesehen wird, heißt das eben, daß die Person gut
ist, Punkt (in demselben Sinn, in dem ich vorhin sagen
konnte: Sie muß so sein, Punkt). Im Gegensatz zu dem, was
ich in *DV* für eine absolute Verwendung des Wortes »gut«
hielt (und die in Wirklichkeit natürlich, von mir zugegeben,

eine relative war: »gut *für* alle«, »gut *für* die Gruppe«),
haben wir hier eine echte absolute Verwendung des Wortes,
die sich eben daraus ergibt, daß unterstellt wird, daß eine
bestimmte Eigenschaft die für uns wesentliche ist.

Ich will jetzt diese Überlegungen zum Begriff der Moral als
solchem so zusammenfassen, daß ich zugleich überleiten
kann zu der Frage, wie ich nun auch diejenige Konzeption
von Moral neu fassen muß, die übrigbleibt, wenn – wie ich
das in *DV* formuliert habe – keine »höheren Wahrheiten«
mehr akzeptiert werden. Wie hängen die für alle Moral
wesentlichen Begriffe von Begründung, moralischer Norm,
»moralisch gut«, innerer Sanktion und Schätzen einer Person als solcher zusammen? Ich versuche den Zusammenhang
jetzt so darzustellen, daß das für mich nach wie vor entscheidende Problem der Begründung ins Zentrum rückt.

Das Individuum sieht sich in der Gesellschaft mit Normen
konfrontiert, die es befolgen muß, und zwar in einem Sinn
von »muß«, der besagt, daß diese Normen belegt sind mit
derjenigen Sanktion, die im Schätzen/Geringschätzen der
Person in dem, was sie selbst ist, besteht. Normen, die in
dieser Weise sanktioniert sind, sind (für diese Gesellschaft)
moralische Normen. Ein Individuum, das gegenüber dieser
– der Möglichkeit von Liebe und Freundschaft zugrunde
liegenden – Sanktion unempfindlich ist (»lack of moral
sense«), kann diesen Sinn von »muß« nicht verstehen. Für
ein solches Individuum bleibt »Moral« ein leeres Wort. Im
anderen Fall wird (bzw. kann) es nach einer Begründung
verlangen, warum es seine Freiheit gemäß gerade diesen
Normen einschränken muß, um von seinen Mitmenschen
bejaht zu werden (ich verwende hier das unbestimmtere
Wort »bejaht«, um den ganzen Zusammenhang des wesentlichen Geschätztwerdens und des Geliebtwerdenkönnens zu
umgreifen).

Die Antwort erfolgt ungefähr so: Erstens, diese Normen
haben eine bestimmte Eigenschaft (die Eigenschaft, die
durch das Begründungsprädikat zum Ausdruck gebracht

wird). Daß sie diese Eigenschaft haben, ist empirisch oder
quasi-empirisch feststellbar (das »quasi-empirisch« bezieht
sich auf eine Eigenschaft wie »gottgegeben«: hier glaubt
man, daß z. B. eine solche Offenbarung in der Geschichte
stattgefunden hat). Zweitens, »wir alle« haben doch die und
die wesentliche Eigenschaft. Drittens, diese Eigenschaft
bzw. Funktion kann nur gut erfüllt werden (d. h., man ist
nur moralisch gut), wenn die Regeln befolgt werden, denen
jene Normeneigenschaft zukommt. Dieser Schritt ist analytisch, er ergibt sich aus dem Wesen dieser Eigenschaft.
Viertens, infolgedessen kann man jemanden nur einfachhin
schätzen, wenn er jene Normen befolgt.
Wenn das Individuum, wie ich es eben andeutete, die Moral,
und d. h. die moralische Sanktion überhaupt, in dem Sinn in
Zweifel stellt, daß es für diese Sanktion kein Sensorium hat,
läßt sich nicht argumentieren. Es hat sich damit so fundamental aus aller wechselseitigen Bejahung herausgestellt, daß
es von sich aus schon genau das getan hat, was der Sinn der
moralischen Sanktion ist (die freilich in diesem Fall nicht als
Sanktion empfunden wird). Dieser Fall ist, nehme ich an,
pathologisch. Diese Bezeichnung ist nicht diffamierend
gemeint; im Gegenteil, dieser Tatbestand zeigt, daß alle
Moral auf einem empirischen Grund aufruht, auf der empirischen Voraussetzung einer bestimmten sozialpsychologi-
schen Verfassung. Auf dieser untersten Ebene gibt es nichts
zu begründen. Die moralische Begründungsfrage erfolgt
immer schon unter der Voraussetzung, daß einer Person an
Liebe, Freundschaft und der von diesen vorausgesetzten
Schätzung gelegen ist und daß sie auch selbst fähig ist,
Personen einfachhin zu schätzen. Die Begründungsfrage
betrifft also nur die Stichhaltigkeit der vier eben genannten
Begründungsschritte.
Dabei ist natürlich der zweite dieser Schritte der kritische.
(Eventuell auch der erste oder Teile des ersten, nämlich das,
was ich vorhin das Quasi-Empirische genannt habe, aber
daraus ergibt sich keine gegenüber der Schwierigkeit des

zweiten Schrittes wesentliche zusätzliche Schwierigkeit.)
Warum, so kann das Individuum fragen, ist gerade *das* die
für uns wesentliche Eigenschaft? Wo das Zukommen dieser
wesentlichen Eigenschaft den Charakter einer höheren
Wahrheit hat, ist diese Frage letztlich unbeantwortbar. Eine
Moral, die auf einer höheren Wahrheit beruht, ist also nur in
dem sehr begrenzten Sinn begründet, daß sie auf einem
akzeptierten Standard dafür, was die für uns wesentliche
Eigenschaft ist, gründet. Dieser Standard läßt sich nicht
seinerseits begründen.[7]

3. Die Moral des wechselseitigen Respekts

Muß das Sich-Zuschreiben einer wesentlichen Eigenschaft
den Charakter einer höheren Wahrheit haben? Was passiert,
wenn die Begründungsfrage so weit geht, die in einer Tradition vorausgesetzte höhere Wahrheit ihrerseits in Frage zu
stellen? In *DV* vertrat ich die Auffassung, daß alles, worauf
dann noch rekurriert werden kann, die empirischen Interessen der Individuen sind, insbesondere das Interesse eines
jeden an einem normativen System, das für ihn gut ist.
Daraus schien sich ein wechselseitiger Begründungszusam-
menhang zu ergeben, daß es für jeden gut ist, sich demjenigen normativen System freiwillig zu unterwerfen, das für
alle gleichermaßen gut ist.
Gegen diese Auffassung sind die erwähnten Einwände von

---

7 U. Wolf hat weder in ihrer Kritik von mir noch in ihrer eigenen Durchführung den Unterschied zwischen dem allgemeinen Begriff der Moral und der
moralischen Situation, die sich ergibt, wenn man an keine höhere Wahrheit
glaubt, berücksichtigt. So ist bei ihr auch die Frage nach dem besseren
Begründetsein der Moral der Achtung gegenüber anderen Moralkonzeptionen
weggefallen. Und faktisch läuft die schwache, »ästhetische« Begründung, die
sie für die Moral der Achtung gibt, darauf hinaus, daß diese gar nicht den
Anspruch erheben kann, gegenüber anderen Moralkonzeptionen besser
begründet zu sein. Jeder hat die Moral (wenn man es denn eine Moral nennen
soll), die seiner Konzeption vom guten Leben entspricht.

Ursula Wolf stichhaltig: erstens, daß, was hier begründet wird, ein Rechtssystem, nicht eine Moral ist; zweitens, daß diese Begründung bereits einen Gleichheitsgesichtspunkt voraussetzt, der nicht natürlich vorgegeben ist, sondern seinerseits erst moralisch zu begründen wäre.

Die immanente systematische Schwäche meines damaligen Gedankengangs liegt wieder in einer Unklarheit im Begründungsbegriff. In meinen früheren Versuchen (vor *DV*), als ich mir den praktisch-subjektiven Sinn des Begründungsbegriffs noch nicht klar gemacht hatte, hatte ich es so gesehen, erstens, daß es für ein Individuum begründet ist, sich einem normativen System freiwillig zu unterwerfen, wenn dieses für es gut ist, und zweitens, daß die Norm begründet ist, wenn sie für alle gut ist. In dem ersten Schritt ist der sinnvolle, praktisch-subjektive Begründungsbegriff vorausgesetzt, während der zweite Schritt die verkehrte Vorstellung einer Begründung *der* Norm enthält. Ein Restbestand dieser Auffassung ist auch noch in der 1. Vorlesung von *DV* zu finden (S. 79 f.). In der dritten habe ich diese Redeweise konsequent vermieden und sie ersetzt durch die Idee einer reziproken (»kommunikativen«) Begründung, wobei jetzt Begründung praktisch-subjektiv verstanden werden sollte, aber so, daß jeder jedem darlegt, daß es für ihn und für den anderen begründet (rational) ist, sich dem normativen System zu unterwerfen, wenn auch der andere es tut. Wenn ich das nun so zusammenfaßte (S. 130), daß diese Begründung als ein »Begründbarsein (der Norm) gegenüber jedem« zu verstehen sei, war ich einer Begriffsverwirrung erlegen. In Wirklichkeit kann bei jenem intersubjektiven Begründungsprozeß immer nur davon die Rede sein, daß es *additiv* jeweils für jeden einzelnen begründet ist, unter den und dem Umständen dem normativen System zuzustimmen. In dem »Begründbarsein gegenüber jedem« klingt demgegenüber erneut das Begründetsein *der* Norm nach. Das Verkehrte dieser Auffassung läßt sich grell beleuchten, wenn man den komparativischen Aspekt des praktischen Begründetseins

mit berücksichtigt: In dem einfachsten Fall, wo wir es mit
nur zwei Individuen A und B zu tun haben, können sowohl
A wie B sich die denkbaren normativen Systeme, die zwischen ihnen bestehen könnten, auf einer Skala »besser/
schlechter für mich« ordnen. Sie können sich dann lediglich
auf einen mittleren Wert einigen. Aber diese Einigung hat,
wie Wolf mit Recht hervorhebt, den Sinn eines Aushandelns, sie hat nicht ihrerseits den Sinn eines Begründens.
Denn was für den einen das praktisch-subjektiv besser
Begründete wäre, wäre für den anderen das schlechter Begründete.
Ich glaube nicht, daß es sich hier um einen Fehler in der
Durchführung handelt, der immanent korrigierbar wäre.
Der Fehler ist ein grundsätzlicher. Wenn das einzige, worauf nach Fortfall der höheren Wahrheiten rekurriert werden
kann, das Interesse ist, das die Individuen wechselseitig
daran haben, daß die anderen bestimmte Normen einhalten,
ist in der *Begründungsfrage* nicht weiter zu kommen als zu
dem, was durch den ersten der beiden am Anfang des
vorigen Absatzes genannten Schritte bezeichnet ist (»gut für
mich«). Zwar ist der Schritt von »gut für mich« zu »gut für
alle« erforderlich, aber das ist kein Begründungsschritt, er
ist nur erforderlich, weil die anderen sonst nicht mitmachen
würden. Daß ich einen Grund habe, mich demjenigen normativen System freiwillig zu unterwerfen, das gut für alle
ist, ist nur deswegen der Fall, weil es gut für mich ist,
einfach deswegen, weil es immer noch besser für mich ist als
kein normatives System oder eines, das mich benachteiligen
würde. So läßt sich eine Moral nicht begründen, und auch
ein Rechtssystem läßt sich so nur aushandeln, nicht begründen.
Diese Schwäche meines Begründungsversuchs läßt sich also
nur überwinden, indem die Voraussetzung, auf der er aufgebaut war, zurückgenommen wird: die Voraussetzung, daß
mit dem Wegfall höherer Wahrheiten nur noch auf die
Interessen der Individuen rekurriert werden kann und nicht

3. Die Moral des wechselseitigen Respekts 159

mehr auf eine wesentliche Eigenschaft. Es besteht kein
Grund anzunehmen, daß eine Moralkonzeption nur dann
auf eine Konzeption vom wesentlichen Selbstsein einer Person angewiesen ist, wenn sie traditionalistisch oder meta-
physisch ist, vielmehr ist dieser Zusammenhang, wie sich
inzwischen gezeigt hat, für den Sinn von Moralität konstitutiv. Also gibt es hier nur zwei Möglichkeiten: Entweder
wird nach dem Wegfall höherer Wahrheiten Moral nicht nur
unbegründbar, sondern ein leeres Wort, oder es müßte sich
zeigen lassen, daß auch nach dem Wegfall höherer Wahrheiten so etwas wie eine wesentliche Eigenschaft übrigbleibt.
Diese müßte jetzt als empirischer Tatbestand festzustellen
sein.
Um die Frage zu beantworten, was es in diesem besonderen
Fall (in dem nicht mehr eine höhere Wahrheit vorgegeben
ist) noch heißen könnte, eine Person einfachhin zu schätzen,
muß ich noch einmal die allgemeine Frage – was das überhaupt heißt – aufnehmen. Denn was ich dazu bisher gesagt
habe, blieb unbefriedigend. Einerseits mußte ich von einer
»wesentlichen Eigenschaft« sprechen, die jeweils »unser
Selbstverständnis« wesentlich ausmacht, weil ich sonst den
traditionalistischen und metaphysischen Selbst- und Moralkonzeptionen nicht hätte gerecht werden können. Aber
gerade diese Auffassung vom wesentlichen Selbstverständnis
erschien nicht zwingend (S. 150), und jetzt können wir auch
sehen, warum sie es gar nicht sein konnte: eben weil sie auf
eine höhere Wahrheit verweist. Diese Schwäche geht also
nicht auf Kosten meiner Erklärung, sondern der traditionalistischen Moralkonzeptionen selbst.
Auf der anderen Seite waren wir aber schon in einem viel
einfacheren Zusammenhang auf ein Sichverhalten zu sich
und zu anderen gestoßen, in dem die Person als sie selbst
gemeint ist und nicht, sofern ihr diese oder jene Eigenschaft
zukommt: im Verhältnis zu anderen Liebe und Freundschaft
(S. 147), im Verhältnis zu sich die voluntative Bejahung des
eigenen Seins im Sinn des Lebenwollens (S. 138). Diese bei-

den Verhaltensweisen entsprechen sich. Was das eine in 1. Person ist, ist das andere in 2. Person. In beiden Fällen handelt es sich um ein Sichverhalten zu einer Person – in dem einen Fall die eigene, im anderen eine andere – *als solcher* und nicht in einer bestimmten Hinsicht, sofern sie das oder jenes will oder diese oder jene Eigenschaft hat. Damit hat jetzt die Frage, was denn mit diesem »selbst« gemeint ist, eine positive Beantwortung gefunden, die anders ist als die traditionellen Antworten: es handelt sich, ontologisch gesprochen, überhaupt nicht mehr um eine Eigenschaft im normalen Sinn dieses Wortes (also etwas, was durch ein Prädikat auszudrücken wäre), sondern um die Existenz. Ich werde im folgenden eine solche Bestimmung, die nicht eigentlich eine Eigenschaft ist (durch ein Prädikat ausgedrückt wird), als Quasi-Eigenschaft bezeichnen, werde aber mitunter auch dort einfach von einer Eigenschaft sprechen, wo eine Quasi-Eigenschaft gemeint ist, wenn ich nicht meine, daß ein Mißverständnis zu befürchten ist.

Daß wir uns zu unserer eigenen Existenz ebenso wie zu der Existenz – dem Leben – anderer voluntativ (bejahend oder ablehnend) verhalten können und immer tatsächlich irgendwie verhalten, ist ein empirisches Faktum. Dieses Selbstverhältnis – zu mir und zu anderen als sie selbst – ist in traditionalistischen und metaphysischen Konzeptionen von dem, was wir »wesentlich« sind, mitenthalten, aber wird durch eine wesentliche Eigenschaft gewissermaßen überwölbt. Entfällt die den Glauben an die wesentliche Eigenschaft tragende höhere Wahrheit, dann ist das, was übrigbleibt, nicht einfach ein Aggregat von Interessen, sondern die Quasi-Eigenschaft des gewissermaßen gereinigten, eigenschaftslosen Sichverhaltens zu sich und zu anderen als sich ebenso Verhaltender.

»Selbst« ist ein Kontrastwort. Um welchen Kontrast handelt es sich in der jetzt gemeinten Verwendung? Diejenige Assoziation, die der Ausdruck am ehesten wachruft und die hier nicht gemeint ist, ist die zwischen dem, was etwas ist hinsichtlich seiner substantiellen Eigenschaft, und seinen übrigen, den sogenannten akzidentellen Eigenschaften. Im gegenwärtigen Fall handelt es sich nicht um Eigenschaften, sondern um Objekte des Wollens: auf der einen Seite meine mannigfaltigen Interessen, Wünsche, Zwecke, auf der anderen Seite mein Sein, das mir vorgegeben ist, ob ich will oder nicht, und zu dem ich mich so oder so (bejahend oder verneinend) voluntativ verhalten muß.

Dieser Kontrast läßt sich vielleicht erhellen durch einen ähnlichen Kontrast, der sich bei Kant findet; ich meine den Kontrast, den er zwischen subjektiven Zwecken und Zwecken an sich macht. Die subjektiven Zwecke sind Zwecke, »die sich ein vernünftiges Wesen als Wirkungen seiner Handlung nach Belieben vorsetzt« (IV,427)[8], während ein Zweck an sich ein »selbständiger Zweck« ist (IV,437), und d. h.: etwas dem Willen Vorgegebenes, was nicht zu seiner »Disposition« (vgl. IV,429) steht. Es ist häufig bezweifelt worden, ob dieser Begriff eines selbständigen Zwecks überhaupt ein sinnvoller Begriff ist. Natürlich nicht, wenn man »Zweck«, wie das Kant selbst sonst tut, als etwas von einem Willen zu Bewirkendes definiert. Aber diesem eher oberflächlichen Einwand kann Kant leicht dadurch entgehen, daß er den Ausdruck »Zweck an sich« oder »objektiver Zweck« durch »Wert an sich« (oder »innerer Wert«) ersetzt (vgl. IV,435). Daß mein Sein und das Sein anderer einen inneren Wert hat, kann Kant freilich nur mit Hilfe seines starken (metaphysischen) Vernunftbegriffs behaupten. So weit kann man ihm mit unseren geringeren Mitteln nicht folgen. Daß Kant andererseits mit der Rede von einem Zweck an sich dem empirischen Faktum der Vorgegebenheit der eigenen Existenz sehr nahe kommt, zeigt sein Satz: »So [als Zweck an sich selbst] stellt sich notwendig der Mensch sein eigenes Dasein vor« (IV,429).

8 Ich zitiere Kant nach der Akademie-Ausgabe, die römische Zahl gibt den Band, die arabische die Seite an.

Kant fährt an dieser Stelle fort: »So stellt sich aber auch jedes andere vernünftige Wesen sein Dasein [...] vor.« Kant folgert weiter: »also ist es zugleich ein objektives Prinzip«, und der nächste Schritt ist dann der kategorische Imperativ in seiner bekannten zweiten Formulierung: »Handle so, daß du die Menschheit, sowohl in deiner Person als in der Person eines jeden anderen, jederzeit zugleich als Zweck, niemals bloß als Mittel brauchst.«

Diese Begründung ist natürlich fehlerhaft. Bei Kant findet sich an späterer Stelle (IV,437) eine andere Begründung des kategorischen Imperativs in dieser zweiten Formulierung, eine Begründung, die zweifellos die für ihn maßgebende war, die jedoch von meinen Überlegungen eher abliegt. Ich möchte vielmehr an diese erste Argumentation Kants anknüpfen. Analog zu seinem »so wie bei dem einen, so auch bei allen anderen« kann auch ich sagen: So wie ich mich zu mir selbst (zu meinem Sein) verhalte, so (kann ich feststellen, daß) auch alle anderen. In dieser Hinsicht – als sich voluntativ zu sich selbst verhaltender – bin ich wie alle anderen, bin ich einer von allen. Entwicklungspsychologisch gesprochen erkennt das Kind dies, wenn es aus der Phase des Egozentrismus herauswächst. Diese Quasi-Eigenschaft – einer von allen zu sein – hängt unmittelbar mit der Quasi-Eigenschaft zusammen, sich zu sich zu verhalten.

Diese Eigenschaft läßt sich nun in das allgemeine Begründungsschema von Moral einsetzen, wie ich es auf S. 154 f. dargestellt habe. Die Frage: Warum muß ich meine Freiheit gemäß gerade diesen Normen einschränken, um von allen bejaht zu werden? wird so beantwortet: Weil diese Normen die Eigenschaft haben, gut für alle zu sein, und weil du einer von allen bist. Die so begründete Moral ist die Moral des wechselseitigen Respekts, die gebietet, sich wechselseitig als »Zwecke an sich« praktisch anzuerkennen (zu berücksichtigen).

Natürlich folgt diese Einstellung des Respekts, der Achtung der anderen (in der ersten der S. 135 f. unterschiedenen Bedeutungen) noch nicht einfach daraus, daß man erkennt, einer von allen zu sein. Das wäre der Fehler, den ich vorhin bei Kant unterstellt habe. Ebensowenig konnte bei den anderen Moralkonzeptionen die Moral schon aus der Selbstzuschreibung der wesentlichen Eigenschaft als solcher folgen. Im gegenwärtigen Fall wäre dadurch natürlich auch viel zuviel bewiesen: denn dann käme man, sofern man sich zu sich verhält und sich als einer von allen erkennt, gar nicht umhin, die anderen zu respektieren, und dies hätte nicht den Charakter eines moralischen Gebots. Auch wenn man sich als einer von allen erkennt, der Phase des Egozentrismus entwachsen ist, besteht natürlich noch die Möglichkeit des »lack of moral sense«. Nach wie vor ist die Ausgangsprämisse das Interesse an einem intersubjektiv verstandenen Selbstwertgefühl, das Interesse, sich als schätzenswert ansehen zu können. Hinsichtlich meiner Eigenschaft, einer von allen zu sein, kann ich von allen nur geschätzt werden (die moralische Sanktion), wenn ich diese Eigenschaft in dem Sinn gut erfülle, daß ich die anderen respektiere. Wenn die wechselseitige wesentliche Schätzung – also diejenige Schätzung, die impliziert, daß man die Gemeinschaft miteinander aufrechterhält – sich auf keine weitere wesentliche Eigenschaft bezieht, die nur durch eine höhere Wahrheit zu begründen wäre, kann sie sich nur eben darauf beziehen, daß man sich praktisch als einer von allen versteht, und d. h., daß man sich gegenseitig respektiert.

Das ist, sage ich, was *übrigbleibt*, wenn die moralische Schätzung keine zusätzlichen Bezugspunkte hat. Diese Auffassung, daß die Moral des wechselseitigen Respekts einen Residualcharakter hat, impliziert, daß diese Moral auch den Kern jeder anderen Moral bildet. Die Moral des wechselseitigen Respekts ist durch andere moralische Gesichtspunkte lediglich überwölbt gewesen, ebenso wie die empirische

Quasi-Eigenschaft, sich zu seinem Leben zu verhalten und sich als einer von allen zu wissen, immer vorhanden war und lediglich überwölbt gewesen ist durch zusätzliche nicht-empirische Konzeptionen von dem, was wir wesentlich selbst sind (S. 160). Dieser Satz, daß die Moral des wechselseitigen Respekts ein Bestandteil jeder Moral ist, müßte einerseits empirisch überprüft werden, andererseits ergibt er sich im Zusammenhang des jetzigen Gedankengangs analytisch, weil das Gebot des wechselseitigen Respekts analytisch vom Begriff der wechselseitigen Schätzung der Personen als solcher impliziert ist. Dieses Gebot ist also dasjenige, das übrigbleibt, wenn alle etwaigen Inhalte, die einer eigenen Begründung bedürftig wären, entfallen. Es ergibt sich aus der bloßen Form der wechselseitigen Schätzung in ihrem Stellenwert für die Möglichkeit der Selbstbejahung.

Ich kann jetzt auch die These, die ich in *DV* vertreten habe, daß die Moral der wechselseitigen Rücksichtnahme stärker begründet ist als die anderen Moralkonzeptionen, sofern sie auf schwächeren Prämissen beruht, in veränderter Form wiederaufnehmen. Weder eine traditionalistische, auf einer höheren Wahrheit beruhende Moral noch die Moral des wechselseitigen Respekts ist voraussetzungslos. Bei der Moral des wechselseitigen Respekts entfällt jedoch der Rekurs auf einen akzeptierten und seinerseits nicht mehr zu begründenden Standard dafür, was die »für uns« wesentliche Eigenschaft ist (S. 156). Die Eigenschaft, auf die sie rekurriert (eine Quasi-Eigenschaft), ist vielmehr ein empirisches Faktum. Aber aus diesem Faktum ergibt sich das Gebot des wechselseitigen Respekts nur für denjenigen, der das »muß« der moralischen Sanktion in seinen Willen aufgenommen hat. Diese Voraussetzung, daß die wechselseitige Schätzung der Personen als solcher bejaht wird, liegt allen moralischen Konzeptionen gleichermaßen zugrunde. Wenn jemand sich nicht so verstehen will bzw. kann, kann ihm keine Moral andemonstriert werden. Das einzige, was hier noch argumentativ zu leisten ist, ist, daß gezeigt wird, was alles von dem, was wir normalerweise auch wollen, mit verlorengeht, wenn man dies nicht bejahen will oder kann.

Ich wende mich jetzt der von Ursula Wolf für besonders schwierig angesehenen Frage zu, ob und wie sich begründen läßt, daß die Moral des wechselseitigen Respekts universal ist. Es könnte so aussehen, als hätte ich diese Frage vorhin dadurch vorentschieden, daß ich die Moral des wechselseitigen Respekts darauf gründete, daß man sich als »einer von allen« wahrnimmt (und sich dann auch voluntativ mit Bezug auf die eigenen Zwecksetzungen als nur einer von allen versteht). Aber sich in diesem Sinn als einer von allen zu verstehen, läßt die Frage offen, wie weit das »alle« reicht. Ein wie immer näher definierter Bezug auf *alle* (auf eine Gemeinschaft mit *den* anderen) gehört wesensmäßig zu aller Moral, weil auch das moralische Schätzen diesen Bezug auf »alle« enthält, aber in einer traditionalistischen Binnenmoral kann dieses »wir alle« durchaus auf die Mitglieder der Gruppe beschränkt sein (entweder überhaupt oder doch so, daß zwischen denen, zu denen man gehört und auf deren Schätzung es ankommt, und den anderen ein moralisch relevanter Unterschied besteht). Nun scheint mir aber klar, daß jede solche Beschränkung begründungsbedürftig ist. Und ich sehe nicht, wie die Begründung erfolgen kann, ohne auf eine höhere Wahrheit zu rekurrieren. Diese Begründung wird dann normalerweise auch der Gruppe, mit Bezug auf die das »alle« definiert wird, einen Eigenwert zusprechen. Eine solche moralische Konzeption schränkt also den Respekt gegenüber den Individuen in doppelter Weise ein: es geht nicht um die Individuen als Individuen, sondern um die F-Individuen, und das setzt voraus, daß es überhaupt nicht nur um die Individuen als Zwecke an sich geht, sondern es werden bestimmte überindividuelle Ganzheiten vorausgesetzt, die letzte Zwecke sein sollen. Es ist schwer zu sehen, wie so starke Prämissen anders als religiös begründbar sein sollen. Wo ein solcher Rekurs und eventuell andere höhere Wahrheiten nicht mehr verfügbar sind, wo sich also die Moral auf die Moral des wechselseitigen Respekts reduziert, besteht auch kein Grund mehr, das »wir alle« gruppenspezifisch einzuschränken, oder schärfer gesagt: Eine solche Einschränkung läßt sich nicht mehr begründen. Ich meine also: Da zum Sinn von »wechselseitiger Respekt« von vornherein ein Bezug auf »alle« gehört (im Unterschied zu Liebe und Freundschaft ist Respekt seinem Sinn nach nicht auf einzelne Individuen bezogen), sieht die Begründungsbedürftigkeit umgekehrt aus, wie sie von Wolf unterstellt wird: Nicht, daß wir alle überhaupt respektieren sollen, bedarf einer besonderen Begründung, sondern warum wir nur die Soundsos respektieren sollen.

Man kann freilich zurückfragen: Wer sind alle überhaupt? Ich sehe nicht, wie man diese Frage auf der Basis des hier entwickelten Ansatzes anders beantworten kann als so: Alle, die zu wechselseitigem Respekt fähig sind. Es entstehen dann die bekannten Schwierigkeiten hinsichtlich solcher Wesen, auf die diese Quasi-Eigenschaft nicht zutrifft, aber auf die doch ein Teil dieser Quasi-Eigenschaft zutrifft, nämlich Empfindungen zu haben und sich gegebenenfalls (wenn auch nicht ganz in demselben Sinn) voluntativ auf das eigene Sein zu beziehen: Kleinkinder, ungeborenes Leben, Tiere. Ich kann im Kontext dieser »Retraktationen« auf diese komplizierte Problematik nicht mehr eingehen. Es muß genügen, auf die Hauptsache hinzuweisen: Daß man mit Bezug auf die Frage, ob und wieweit wir verpflichtet sind, ungeborenes Leben und Tiere moralisch zu respektieren, zu keinem Konsens kommt, ist in der Sache selbst begründet. Es wäre naiv anzunehmen, daß hier eine bestimmte Auffassung die wahre ist. Wenn der moralische Respekt an eine bestimmte Quasi-Eigenschaft gebunden ist, dann ist, wo Wesen diese Eigenschaft nicht haben, aber doch eine analoge Eigenschaft (Empfindungen zu haben bei Tieren, die Anlage zu haben zu --- bei ungeborenem Leben im frühen, vorsensitiven Stadium), der Zweifel mit Bezug auf das Ausmaß der Anwendbarkeit des moralischen Respekts die unvermeidliche Konsequenz.[9]

In einer nicht mehr traditionalistisch begründeten Moral bezieht sich also das »wir alle«, das zu jeder Moral gehört, auf die Gemeinschaft aller Menschen, ja dadurch konstituiert sich diese Gemeinschaft (»die Menschheit«). Von hier aus kann ein Mißverständnis ausgeräumt werden, das meine These, daß die Moral des wechselseitigen Respekts den Kern auch jeder anderen Moral bildet, nahelegen könnte. Man muß unterscheiden zwischen der Moral des wechselseitigen Respekts und der Moral des universellen wechselseitigen Respekts. Die Moral des universellen wechselseitigen Respekts ist natürlich nicht ein Bestandteil jeder Moral. Nur wenn das Gebot des Respekts nicht durch weitere Faktoren, die nur durch höhere Wahrheiten begründbar sind, eingeschränkt wird, kann es seinen eigenen Sinn voll entfalten und wird so zu einer Moral des universellen Respekts. In dieser Hinsicht ist also die nicht mehr traditionalistisch begründete Moral nicht ein bloßes Residuum, eine Kompo-

9 Ich verweise auf Wolfs umsichtige Erörterung der Frage der Moral mit Bezug auf Tiere in Kap. 5.3 ihrer Abhandlung. Freilich muß sich diese Problematik bei einem Ansatz wie dem ihren, bei dem Reziprozität nicht in den Begriff der Moral eingebaut ist, anders darstellen als bei einem Ansatz, bei dem dies der Fall ist. Reziprozität war in die Auffassung, die ich in *DV* entwickelt habe, durch die dort vertretene kontraktualistische Konzeption eingebaut, und sie ist in die jetzige Auffassung eingebaut durch die enge Verbindung zwischen den Begriffen des Respekts und der wechselseitigen Schätzung. Zwar folgt aus der möglichen wechselseitigen Schätzung, die zum Sinn von Moral überhaupt gehört, nicht unbedingt, daß die moralisch sanktionierten Verhaltensweisen ihrerseits durch Reziprozität ausgezeichnet sein müssen. Es folgt aber dann, wenn sich diese Verhaltensweisen »aus der bloßen Form der wechselseitigen Schätzung in ihrem Stellenwert für die Möglichkeit der Selbstbejahung« ergeben sollen (S. 164), und d. h., wenn sich die moralisch geforderten Verhaltensweisen nicht durch höhere Wahrheiten begründen lassen. Deswegen ist die Übertragung der Verpflichtung zum moralischen Respekt auf Wesen, die nicht selbst moralisch sein können, nach meiner Auffassung nicht so einfach, wie sie bei Wolf erscheint. Die einfache Lösung dieses Problems hat Wolf damit erkauft, daß sie den Verpflichtungscharakter der moralischen Normen (und in ihm steckt die Reziprozität) preisgegeben hat.

nente aller Moral, sondern steht durch ihre universalistische Konsequenz mit anderen Moralkonzeptionen im Widerspruch. Der Universalismus, der an sich zur inneren Konsequenz des Gebots des wechselseitigen Respekts gehört, kann in traditionalistischen Moral- und Rechtskonzeptionen in zweierlei Hinsicht blockiert werden, nach außen wie nach innen. Nach außen, sofern nicht alle Menschen zur moralisch relevanten Gemeinschaft gehören. Nach innen, sofern auch die, die zur moralisch relevanten Gemeinschaft gehören, nicht alle in gleicher Weise zu respektieren sind.

Umgekehrt heißt das, daß die Moral des wechselseitigen Respekts, wenn sie durch keine Zusätze beschnitten wird, sich nicht nur auf alle Menschen bezieht, sondern auf alle in gleicher Weise. Die Menschen sind nicht von Natur gleich, aber qua Subjekte, die sich wechselseitig schätzen können, unterscheiden sie sich nicht voneinander; sie erheben daher auch einen gleichen Anspruch auf Respekt. Als Glieder der moralischen Gemeinschaft sind sie gleich. Wieder ist es nicht, wie schon bei der Universalität, die Gleichheit im Recht auf Rücksicht, was einer besonderen Begründung bedarf, sondern die Ungleichheit, und eine solche ist, wie die Einschränkung im Umfang, nur durch eine höhere Wahrheit einsichtig zu machen.

Daß nur dasjenige Recht ein moralisch zu rechtfertigendes ist, das alle in gleicher Weise berücksichtigt, läßt sich also nicht, wie ich es in *DV* angenommen hatte, kontraktualistisch im Rekurs auf eine angeblich vorgegebene, natürliche Gleichheit begründen, sondern nur indem auf diesen moralisch fundierten Gleichheitsbegriff rekurriert wird. Innerhalb der rechtsphilosophischen Tradition würde ich also jetzt am ehesten auf John Locke zurückgreifen, der das Recht im Rekurs auf einen hypothetischen Naturzustand konstruiert, der bereits durch das moralische Gesetz definiert war, das Locke freilich seinerseits einfach vorausgesetzt hat.

4. Erneute Retraktation; Ausblick auf eine Moral der Ernsthaftigkeit

Die Überlegungen des vorigen Abschnitts zeigen die Richtung an, in der nach meiner jetzigen Meinung das Begründetsein der Moral des universellen Respekts verstanden werden muß. Die zwei grundlegenden Gesichtspunkte waren dabei: Erstens, auch diese Moral gründet, wie jede Moral, auf der spezifisch moralischen Sanktion der Schätzung der Person als solcher (die dem spezifisch moralischen »muß« seinen Sinn gibt). Zweitens, auch diese Moral muß sich, wie jede Moral, auf das wesentliche wechselseitige Selbstverständnis der Personen beziehen, auf eine als wesentlich unterstellte Eigenschaft oder Quasi-Eigenschaft, die, da sie sonst kein möglicher Gegenstand einer Schätzung sein kann, eine Gradation nach besser/schlechter zulassen muß. Und dabei ist das Besondere dieser Moral, daß das, worauf sich dieses Selbstverständnis bezieht, nicht auf einer höheren Wahrheit beruhen darf, also ein empirisches Faktum sein muß.

Von diesen beiden grundsätzlichen Leitlinien muß man die Details meiner faktischen Durchführung unterscheiden. Mit Bezug auf sie fühle ich mich weniger sicher. Als das wechselseitige Selbstverständnis der Personen habe ich das Faktum bezeichnet, daß sich alle voluntativ auf ihre eigene vorgegebene Existenz (ihr Leben) beziehen und dies wechselseitig voneinander wissen. Manche Leser werden schon diesen existenzphilosophischen Ansatz für dubios halten. Es handelt sich aber um einen nach meiner Meinung unzweifelhaften psychologischen Tatbestand, der in unserer Zeit von Heidegger nur wiederentdeckt wurde und schon von Aristoteles erkannt worden war.[10] Zur Erleichterung des Verständnisses dieser Leser habe ich auf Kants möglicherweise eingängigeres, aber eigentlich weniger klares Diktum hinge-

---

10 Vgl. Tugendhat, *Selbstbewußtsein und Selbstbestimmung*, S. 176 ff.

wiesen, daß jeder Mensch sein eigenes Dasein als Zweck an sich ansehe.

Meine eigenen Zweifel betreffen die Frage, wieweit es mir gelungen ist, das Gebot des wechselseitigen Respekts aus folgenden drei Faktoren zu begründen: 1. der Quasi-Eigenschaft des Sich-verhalten-Müssens zur vorgegebenen eigenen Existenz, 2. der damit zusammenhängenden Quasi-Eigenschaft, einer von allen zu sein bzw. sich als solcher zu wissen, 3. der voluntativen Bejahung der wechselseitigen moralischen Schätzung. Dem genauen Leser werden die Unsicherheiten in der Akzentsetzung in diesem zentralen Teil des Gedankengangs nicht entgangen sein.

An manchen Stellen konnte es so aussehen, als ob es schon die Möglichkeit der wechselseitigen moralischen Schätzung als solche wäre, die das Gebot des wechselseitigen Respekts begründet. Das ist insofern partiell richtig, als sich in der Möglichkeit der wechselseitigen Schätzung die moralische Gemeinschaft (der wechselseitigen Achtung in diesem starken Sinn) konstituiert, für die eine notwendige Bedingung diejenige Gemeinschaft ist, die sich dadurch konstituiert, daß sich die Personen wechselseitig respektieren (die Gemeinschaft der wechselseitigen Achtung im schwachen Sinn – was Kant das »Reich der Zwecke« genannt hat). Jedoch: der Begriff der Schätzung wäre leer, wenn es da nicht eine Eigenschaft der Personen als solcher gäbe, die den Gegenstand der Schätzung darstellt. Also verweist (3) notwendigerweise zurück auf (1) bzw. (2).

Das führt dann aber zu der Frage, welche dieser beiden Quasi-Eigenschaften die für die moralische Schätzung entscheidende ist oder ob sie tatsächlich, wie ich das schon nahegelegt habe, zusammengesehen werden müssen. Zunächst könnte es verlockend erscheinen, auf die »existenzphilosophische« Quasi-Eigenschaft ganz zu verzichten und die Eigenschaft, einer von allen zu sein bzw. sich als solcher zu verstehen, als Ausgangspunkt zu nehmen. Dieser

Versuchung habe ich dadurch Vorschub geleistet, daß ich gerade bei dieser Eigenschaft gesagt habe, daß man sie gut (also besser und schlechter) erfüllen könne (S. 163). Wenn wir nun aber diese zweite Eigenschaft isoliert von der ersten sehen, kann in Wirklichkeit bei ihr nicht davon die Rede sein, daß man sie besser oder schlechter erfüllen kann. Wir haben gesehen, daß dieser Ausdruck »sich als einer von allen zu verstehen« zweideutig ist. In einem ersten, schwachen Sinn besagt er, daß ich theoretisch weiß, daß alle anderen sich ebenso verstehen, wie ich mich verstehe. In diesem schwachen Sinn, der sich mit dem »lack of moral sense« verträgt, ergibt es keinen Sinn zu sagen, daß man diese Eigenschaft besser oder schlechter erfüllen kann. Versteht man sie hingegen bereits in dem Sinn, daß man auf die anderen praktisch Rücksicht nimmt, kann man wiederum nicht sagen, daß man sie besser oder schlechter erfüllen kann, denn dann steht sie bereits für das moralische Gutsein.

Also müßte es (wenn mein Versuch überhaupt haltbar sein soll) doch die erste Quasi-Eigenschaft sein, das Sich-zu-sich-Verhalten, das ein möglicher Gegenstand der moralischen Schätzung ist. Nun steht die Quasi-Eigenschaft des Sich-zu-sich-Verhaltens im Unterschied zu der Quasi-Eigenschaft, einer von allen zu sein, in der Tat von vornherein in einer Polarität von zwei Grundmöglichkeiten (und dazu gehören dann auch die Gradualitäten zwischen diesen beiden Polen): Ich kann mich meiner Existenz entweder aussetzen, sie ernst nehmen oder ihr ausweichen und mich in meinen einzelnen Wünschen und Zwecksetzungen, in denen ich mich zufällig vorfinde, »verlieren«. Heidegger verwendete für diese – von ihm eher eigentümlich aufgefaßten – Pole die Termini »eigentliche« und »uneigentliche Existenz«. Ich habe in *Selbstbewußtsein und Selbstbestimmung* versucht, das, was Heidegger mit Eigentlichkeit meint, mit Bezug auf die »praktische Frage« zu fassen, und habe das

Ergebnis in einem Begriff von »Verantwortlichkeit« – verantwortlich existieren – zusammengefaßt.[11]

Nun scheint es diese beiden Möglichkeiten, sich zu seinem Leben zu verhalten, nicht nur faktisch zu geben, sondern die Existenz im Modus der Ernsthaftigkeit ist offensichtlich ein Gegenstand der Schätzung, und natürlich handelt es sich hier in eminentem Sinn um ein Schätzen der Person *als solcher*, denn das ist es, was sie selbst ist, ein sich zu sich verhaltendes Wesen. Ich meine sogar, daß man sagen kann: Wir schätzen Personen in ihrem Personsein (sofern nicht auch höhere Wahrheiten im Spiel sind) dann und nur dann, wenn sie ihre Existenz ernst nehmen. Das »nur dann« könnte übertrieben wirken. Denn schätzen wir nicht Personen auch dann, wenn sie die anderen respektieren? Nun, zu diesem Ergebnis müssen wir natürlich kommen, wenn sich eine Moral des wechselseitigen Respekts begründen lassen soll. Aber, so kann man doch fragen, warum sollen wir eine Person als Person dann schätzen, wenn sie alle anderen respektiert? Das ist nur einsichtig, wenn das Respektieren anderer mit zu dem gehört, was eine Person als Person schätzenswert macht. Also müssen wir unterstellen dürfen, daß eine Person, wenn sie sich selbst ernst nimmt – und das ist es, was sie als Person schätzenswert macht –, auch alle anderen ernst nimmt. Wahrscheinlich ist es in der Tat nicht möglich, andere in dem starken Sinn zu respektieren, daß man ihnen gegenüber nicht nur diejenigen inhaltlichen Leistungen vollbringt, die aus dem Respekt folgen (Versprechen halten usw., vgl. S. 135), sondern sie als Personen ernst nimmt, wenn man sich nicht selbst ernst nimmt. Ebenso scheint die umgekehrte Implikation zu gelten. Das ist, was Erich Fromm meint, wenn er sagt, man kann andere nur lieben, wenn man sich selbst liebt, und umgekehrt. Der entscheidende Kontrast zwischen moralischer und unmoralischer Existenz wäre dann nicht der zwischen Altruismus und Egoismus, sondern zwischen

11 Vgl. ebd., S. 295.

Ernstnehmen – sich und andere – einerseits und dem Verfolgen der jeweils gerade vorhandenen Wünsche und Zwecksetzungen andererseits.

Die Auffassung, die sich hier abzeichnet, ist im Ergebnis derjenigen vergleichbar, die Kant in seiner zweiten Formulierung des kategorischen Imperativs zum Ausdruck gebracht hat, derzufolge das moralische Gebot lautet: »Handle so, daß du die Menschheit, sowohl in deiner Person als in der Person eines jeden anderen, jederzeit zugleich als Zweck, niemals bloß als Mittel brauchst.« Das in unserem Zusammenhang Interessante an dieser Formulierung ist, daß das moralische Gebot sich in gleicher Weise auf die Art, wie ich mich zu mir verhalte und wie ich mich zu anderen verhalte, bezieht.

Ich habe schon im vorigen Abschnitt auf die Analogie hingewiesen, die mir zu bestehen scheint zwischen meiner Unterscheidung, sich voluntativ einerseits auf irgendwelche Zwecke zu beziehen und sich auf sein Sein als vorgegebenes zu beziehen, und der Kantischen Unterscheidung zwischen subjektiven Zwecken und Zwecken an sich. Ich hatte die Analogie dort so dargestellt, daß, wenn man sich zu seinem eigenen Sein verhält, dies der Kantischen Vorstellung entspricht, daß man sich zu einem Zweck an sich verhält. Nur: zu seinem eigenen Sein verhält man sich immer auf die eine oder andere Weise. Entsprechend könnte Kant sagen: Zu meinem eigenen Dasein als Zweck an sich verhalte ich mich immer auf die eine oder andere Weise. Das moralische Gebot aber lautet: Verhalte dich dazu so, daß du es als Zweck an sich anerkennst. Und dem entspricht in meiner jetzt entwickelten Auffassung: Verhalte dich zu deinem Leben im Modus der Ernsthaftigkeit.

Die Moral der Ernsthaftigkeit, die sich jetzt ergibt, unterscheidet sich von der Moral des universellen wechselseitigen Respekts dadurch, daß sie umfassender ist und auch eine moralische Pflicht gegenüber sich selbst enthält. Die in der heutigen Moralphilosophie übliche Auffassung ist, daß es keine Pflichten gegenüber sich selbst gibt (manche Philosophen kommen zu diesem Ergebnis sogar durch die Art, wie sie den Begriff der Moral definieren, was natürlich unzulässig ist, vgl. S. 122), und auch ich habe in *DV* die Auffassung vertreten, daß sich Pflichten gegenüber sich selbst nicht ohne höhere Wahrheiten begründen lassen. Aber die Pflicht gegenüber sich selbst, die sich jetzt herausstellt, betrifft nicht irgendwelche Inhalte, sondern nur das Wie des Sich-zu-sich-Verhaltens.

Auch in der Kant-Exegese ist die herrschende Meinung, daß Kants Versuch, aus seinem kategorischen Imperativ Pflichten gegenüber sich selbst herzuleiten, einen Trugschluß enthält. Das ist auch richtig mit Bezug auf die erste Formulierung des kategorischen Imperativs. Es ist jedoch nicht richtig mit Bezug auf die zweite Formulierung. Diese ist entgegen Kants eigener Meinung in eben der Weise umfassender als die erste Formulierung, in der die Moral der Ernsthaftigkeit umfassender ist als die Moral des Respekts.

Wenn man sich ansieht, wie Kant in der *Grundlegung zur Metaphysik der Sitten* die Pflichten gegenüber sich selbst und die Pflichten gegenüber anderen im Zusammenhang dieser zweiten Formulierung des kategorischen Imperativs darstellt, fällt freilich auf, daß dabei die Rede vom »Zweck an sich« in dem einen und in dem anderen Fall einen verschiedenen Sinn gewinnt. Ich berücksichtige andere als Zwecke an sich, wenn ich so handle, daß sie in die Art, wie ich mich mit Bezug auf sie verhalte, »einstimmen« können (IV,430), das heißt also, wenn ich berücksichtige, was sie *wünschen*. Ich verhalte mich zu mir selbst als Zweck an sich, wenn ich mein Sein als vorgegeben akzeptiere als etwas, was *nicht* zur »Disposition« meiner Wünsche steht (IV,429).

Man könnte Kant vorwerfen, daß, sobald er den merkwürdigen Begriff des Zwecks an sich in der Anwendung konkretisiert, dieser in zwei verschiedene Begriffe auseinanderzufallen scheint. Aber die Asymmetrie, die sich hier zwischen der Pflicht gegenüber anderen und der Pflicht gegenüber sich selbst zeigt, gründet in der Sache selbst. Jedenfalls zeigt sich dieselbe Zweideutigkeit, wenn es denn eine Zweideutigkeit ist, beim Begriff der Ernsthaftigkeit. Eine andere Person ernst nehmen heißt, nicht nur ihre Wünsche, sondern sie in ihren Wünschen zu respektieren. Zu mir selbst verhalte ich mich ernsthaft, wenn ich aus der praktischen Frage heraus, verantwortlich, autonom existiere.

Kant selbst hat diese Asymmetrie in der *Metaphysik der Sitten* auf erhellende Weise dargestellt und begründet. Auf die Frage »Welche sind die Zwecke, die zugleich Pflichten sind?« antwortet er: »Eigene Vollkommenheit – fremde Glückseligkeit«, und erläutert: »Man kann diese nicht gegeneinander umtauschen.« Denn eigene Glückseligkeit kann nicht Pflicht sein: »Was ein jeder unvermeidlich schon von selbst will, das gehört nicht unter den Begriff von Pflicht.« Man kann sich aber auch nicht die Vollkommenheit anderer zum Zweck machen, denn »es widerspricht sich, zu fordern [. . .], daß ich etwas tun soll, was kein anderer als er selbst tun kann« (VI, 385 f.). Ich bin absichtlich nicht auf Kants inhaltliche Vorstellungen über die Pflicht gegenüber sich selbst eingegangen; sie hängen mit der Konzeption eines objektiven Zwecks zusammen und sind für uns heute wenig plausibel. In dem zuletzt zitierten Satz kommt seine Auffassung aber der von mir entwickelten des Sich-in-Autonomie-selbst-Übernehmens sehr nahe. Die Asymmetrie in dem Ernstnehmen der anderen und seiner selbst besteht, weil jeder seine Autonomie nur selbst vollziehen kann, oder allgemeiner: weil wir einander das Sich-zu-sich-Verhalten nicht abnehmen können.

Widerspricht es dann nicht aber auch, so könnte man fragen, dem Begriff der Autonomie, daß wir Autonomie voneinander wechselseitig moralisch fordern? Ich kann das nicht sehen, und ich meine auch, daß die Sorge um die Autonomie des anderen nicht nur zu Liebe und Freundschaft, sondern auch zum Respekt gehört. Auf diese Weise wäre dann die Einheitlichkeit im Begriff der Ernsthaftigkeit doch wiederhergestellt. Gleichwohl ist dieser Begriff von mir hier nur angedeutet, nicht geklärt worden.

Die Ausführungen dieses und des vorigen Abschnitts sind tentativ gemeint. Ich möchte die Spannung, die zwischen einigen Aussagen der beiden Abschnitte hinsichtlich der Begründung des Gebots des wechselseitigen Respekts besteht, nicht verkleistern, sondern so stehen lassen. Eine befriedigende Begründung der Moral des wechselseitigen Respekts steht also noch aus. Auch bin ich mir nicht sicher, ob es wirklich richtig ist, von einer Pflicht mit Bezug auf sich selbst zu sprechen, aber ich meine, daß das Problem wieder ernst genommen werden sollte.

(1983)

Biographische Notiz

1930	Geboren in Brünn, Tschechoslowakei.
1938	Auswanderung in die Schweiz, 1941 nach Venezuela.
1946–49	Undergraduate an der Stanford University, USA. Juni 1949; B. A. in Klassischer Philologie.
1949–56	Studium in Freiburg i. Br., Philosophie im Hauptfach, Griechisch und Latein als Nebenfächer. Promotion 1956 bei Karl Ulmer mit der Dissertation *TI KATA TINOS: eine Untersuchung zu Struktur und Ursprung aristotelischer Grundbegriffe.*
1956–58	an der Universität Münster.
1958–66	an der Universität Tübingen, zuerst als wissenschaftliche Hilfskraft, ab 1960 als Assistent bei Ulmer.
1965	1. Januar – 15. April: Visiting Lecturer an der University of Michigan in Ann Arbor.
1966	Habilitation in Tübingen mit der Arbeit *Der Wahrheitsbegriff bei Husserl und Heidegger.*
1966–75	Professor für Philosophie an der Universität Heidelberg.
1975–80	Mitarbeiter am Max-Planck-Institut zur Erforschung der Lebensbedingungen der wissenschaftlich-technischen Welt, Starnberg.
1980–92	Professor an der Freien Universität Berlin.
1992	Pensionierung.
1992–96	Gastprofessor an der Universidad Católica de Chile.
1997–98	Gastprofessor an den Universitäten von Prag, Goiânia und Porto Alegre.
Seit 1999	wohnhaft in Tübingen.

Veröffentlichungen von Ernst Tugendhat

TI KATA TINOS: eine Untersuchung zu Struktur und Ursprung
  aristotelischer Grundbegriffe. Freiburg i. Br.: Alber, 1958. ²1968.
  ³1982.
Der Wahrheitsbegriff bei Husserl und Heidegger. Berlin: de Gruy-
  ter, 1967. ²1970. ³1983.
Vorlesungen zur Einführung in die sprachanalytische Philosophie.
  Frankfurt a. M.: Suhrkamp, 1976. Engl. Übers.: Traditional and
  Analytical Philosophy. Cambridge: University Press, 1982.
Selbstbewußtsein und Selbstbestimmung. Frankfurt a. M.: Suhr-
  kamp, 1979.
(Mit Ursula Wolf:) Logisch-semantische Propädeutik. Stuttgart:
  Reclam, 1983.
Rationalität und Irrationalität der Friedensbewegung und ihrer
  Gegner. Berlin: Europäische Perspektiven, 1983.
Nachdenken über die Atomkriegsgefahr und warum man sie nicht
  sieht. Berlin: Rotbuch Verlag, 1986.
Philosophische Aufsätze. Frankfurt a. M.: Suhrkamp Verlag, 1992.
Ethik und Politik. Frankfurt a. M.: Suhrkamp Verlag, 1992.
Vorlesungen über Ethik. Frankfurt a. M.: Suhrkamp Verlag, 1993.
Dialog in Leticia. Frankfurt a. M.: Suhrkamp Verlag, 1997.
  (Mit Celso López und Ana Maria Vicuña:) Wie sollen wir han-
  deln? Schülergespräche über Moral. Stuttgart 2000. (Reclams
  Universal-Bibliothek. 18089.)
Vorträge 1992–2000. Frankfurt a. M.: Suhrkamp Verlag, 2001.

Alle deutschen Aufsätze des Autors sind enthalten in: Probleme
der Ethik. Nachdenken über die Atomkriegsgefahr. Philosophische
Aufsätze. Vorträge 1992–2000.

Inhalt

Deutsche Philosophen der Gegenwart

IN RECLAMS UNIVERSAL-BIBLIOTHEK

P. Hoyningen-Huene, Formale Logik. Eine philosophische Einführung. 335 S. UB 9692

B. Kanitscheider, Kosmologie. Geschichte und Systematik in philosophischer Perspektive. 512 S. UB 8025

R. Knodt, Ästhetische Korrespondenzen. Denken im technischen Raum. 166 S. UB 8986

H. Lenk, Macht und Machbarkeit der Technik. 152 S. UB 8989

W. Lenzen, Liebe, Leben, Tod. 324 S. UB 9772

N. Luhmann, Aufsätze und Reden. 336 S. UB 18149

O. Marquard, Abschied vom Prinzipiellen. 152 S. UB 7724 – Apologie des Zufälligen. 144 S. UB 8351 – Philosophie des Stattdessen. 144 S. UB 18049 – Skepsis und Zustimmung. 137 S. UB 9334

E. Martens, Zwischen Gut und Böse. 222 S. UB 9635 – Die Sache des Sokrates. 160 S. UB 8823 – Philosophieren mit Kindern. 202 S. UB 9778

J. Nida-Rümelin, Strukturelle Rationalität. 176 S. UB 18150

R. Raatzsch, Philosophiephilosophie. 109 S. UB 18051

N. Schneider, Erkenntnistheorie im 20. Jahrhundert. 334 S. UB 9702 – Geschichte der Ästhetik von der Aufklärung bis zur Postmoderne. 352 S. UB 9457

J. Schulte, Wittgenstein. Eine Einführung. 252 S. UB 8564

R. Simon-Schaefer, Kleine Philosophie für Berenike. 263 S. UB 9466

R. Spaemann, Philosophische Essays. 264 S. UB 7961

H. Tetens, Geist, Gehirn, Maschine. 175 S. UB 8999

E. Tugendhat, Probleme der Ethik. 181 S. UB 8250

E. Tugendhat / U. Wolf, Logisch-semantische Propädeutik. 268 S. UB 8206

E. Tugendhat u. a., Wie sollen wir handeln? Schülergespräche über Moral. 176 S. UB 18089

G. Vollmer, Biophilosophie. 204 S. UB 9396

C. F. von Weizsäcker, Ein Blick auf Platon. 144 S. UB 7731

W. Welsch, Ästhetisches Denken. 228 S. 19 Abb. UB 8681 – Grenzgänge der Ästhetik. 350 S. UB 9612

Philipp Reclam jun. Stuttgart

Geschichte der Philosophie in Text und Darstellung

»Diese Unternehmung besticht durch einen gescheiten Ausweg aus dem Dilemma, in das uns die Einsicht führt, daß es einen unparteiischen Standpunkt vielleicht nur für den lieben Gott gibt. Sie verfügt über eine Konzeption, die die je verschiedene Eigenart der geistigen Standpunkte und Perspektiven schon durch die Kombination der literarischen Gattungen herausstellt. Die Brauchbarkeit für das philosophische Bildungswesen wird dadurch sehr gefördert. Besonders für die neu gestaltete Oberstufe des Gymnasiums, in der dem Fach Philosophie eine besondere Bedeutung zukommt, scheint die Mischung von Text und Darstellung geeignet.

Der Philosophieunterricht, der sich dieses Angebot zunutze macht, stellt die geistespolitischen Kategorien bereit, die für das Verständnis der westlichen Staatstheorien im Fach Gemeinschaftskunde erforderlich sind.«

Eckhard Nordhofen, F. A. Z.

Philipp Reclam jun. Stuttgart